D0365435

интриги, тайны и любовь

ЧИТАЙТЕ РОМАНЫ
НАТАЛЬИ ОРБЕНИНОЙ!

ЛЮБОВНО-КРИМИНАЛЬНЫЕ
ИСТОРИИ
КОНЦА XIX ВЕКА

ЛЕДЯНАЯ
ДЕВА

ЖЕНА
ИЛЛЮЗИОНИСТА

АДВОКАТ
ЧАРОДЕЙКИ

СУПРУГ
ДЛЯ БОГИНИ

НАТАЛЬЯ

ОРБЕНИНА

СУПРУГ ДЛЯ БОГИНИ

Москва 2011

УДК 82-3
ББК 84(2Рос-Рус)6-4
О-63

Оформление серии *С. Власова*

Иллюстрация на переплете *В. Коробейникова*

Ранее роман «Супруг для богини» выходил под названием «Увядание розы»

Орбенина Н.

О-63 Супруг для богини : роман / Наталья Орбенина. — М. : Эксмо, 2011. — 320 с. — (Интриги, тайны и любовь).

ISBN 978-5-699-39684-9

Знаменитый писатель Вениамин Извеков найден мертвым в собственном доме. Похоже, он умер от разрыва сердца, увидев призрак покойной жены — знаменитой актрисы, красавицы Тамары Горской. Следователь Константин Сердюков, расследуя обстоятельства загадочной смерти, начинает бывать в доме Извекова ежедневно, изучая авторские рукописи и дотошно всех расспрашивая. Особенно сыщика заинтересовало привидение, якобы ставшее причиной трагедии. И дочь Вениамина, и господский дворник утверждают, будто видели женскую фигуру, в очертаниях которой узнали Тамару... Прекрасную, безмолвную, с горящим взглядом, устремленным прямо в сердце...

УДК 82-3
ББК 84(2Рос-Рус)6-4

ISBN 978-5-699-39684-9

«Любовь прошла, увяли розы,
и нам остались только грезы».

*Сентиментальная надпись
на открытке начала XX века*

Часть первая

Глава 1

В книжных магазинах столицы происходило настоящее столпотворение. Еще бы! Поступил в продажу новый роман Извекова «Увядание розы». Поклонники популярного романиста, а к ним себя относила значительная часть читающей публики, штурмом брали прилавки. Приказчики сбились с ног, кое-где владельцы магазинов были вынуждены прибегнуть к помощи полиции для разнимания разбушевавшихся покупателей.

— Господа! Помилуйте, господа! Вы же не хлеба насущного лишаетесь! Опомнитесь, милостивые государи! Через недельку-другую будет напечатан дополнительный тираж, и тут уж всем достанется!

Но все увещевания хозяина магазина были тщетны. Читатели жаждали получить вожделенный роман тотчас же, чтобы уже сегодня вечером вкусить его прелестей, погрузиться в изящный слог, перипетии хитроумного сюжета, страстные переживания героев. Словом, во все то, чем славился модный писатель Вениамин Извеков.

Роман ждали с нетерпением. Оно подогревалось разговорами о том, что, мол, Извеков исписался, иссяк, он уже не тот. Действительно, несколько последних опусов оказались столь бледными и невыразительными, словно были написаны другой рукой. И вот снова чудо, событие, невероятный триумф. Злопыхатели из толпы критиков посрамлены, враги и завистники отброшены на обочину литературной жизни. Извеков снова на вершине Олимпа, где он царствовал уже более пятнадцати лет.

А тем временем герой дня, великий триумфатор, ехал в роскошном ландо по Каменноостровскому проспекту. Это был господин средних лет, невысокого роста, со светло-русыми волосами, которые спадали на лоб легкомысленной челкой. Голубые глаза с поволокой, тонкий выразительный изгиб чуть припухлых губ, изящный прямой нос — одним словом, именно такую романтическую внешность рисовали в своем воображении его многочисленные поклонницы. Если к этому добавить нарочитую небрежность роскошного костюма, пошитого по английской моде, мягкие выверенные движения, то можно без труда утверждать, что писатель Извеков являл собой яркое пятно в пестрой палитре столичной богемы.

Но в этот момент на нем не было маски преуспевающего литератора и сердцееда, с которой он обычно появлялся на публике. Рядом с ним в ландо сидела его взрослая дочь от первого брака Вера с напряженным и злым лицом.

— Я не понимаю, почему именно теперь вам захотелось ехать за город! Столько людей желают выразить вам свой восторг и почитание, а вы стремитесь спрятаться, как крыса в нору! Ну что, что мы опять будем делать вдвоем в эдакой скукотище! — Вера почти кричала, в ее глазах стояли слезы.

Она несколько раз непроизвольно обернулась назад, но их дом уже скрылся за поворотом. Утром она надеялась, что шум, вызванный выходом книги, заставит отца переменить решение съехать на дачу. Ведь еще не сезон, вокруг не будет ни души. Там и в разгар лета-то не очень много соседей, а сейчас и вовсе нет никого! Однако Вениамин Александрович остался непоколебим в своем решении. В дорогу они отправились после изрядной ссоры, искры которой все еще тлели.

— Ты не понимаешь, это часть моего образа! Я должен сохранять загадочность и непредсказуемость в глазах своих поклонников! Видишь, как замечательно все вышло с последним романом. Уже никто не ждал ничего выдающегося от Извекова, а он возьми да и выдай им по первое число! — Отец откинулся на спинку сиденья и самодовольно засмеялся. — А ведь и ты, моя драгоценная дщерь, уже не верила в мой талант?

Вера смутилась и отвела взгляд в сторону. Отец был прав. Последние несколько лет и она уже перестала ждать от него чего-то великого.

— И ты готова была примкнуть к стае моих хулителей! — Извеков повысил голос и воздел руки к небесам, как и подобает драматическому герою. — Но я прощаю тебя, потому что знаю: ты любишь меня не за мой гений, а за то, что я твой отец! И я люблю тебя по закону крови! Ты моя единственная оставшаяся опора в жизни, и мы пойдем с тобой рука об руку, не расставаясь, до гроба!

Вера промолчала. Извеков отметил про себя ее недовольно поджатые губы и взгляд, ушедший в глубину души.

— Ты все дуешься на меня? Напрасно! Тебе выпала особая судьба, и ты должна это понимать и принимать безропотно!

Вера снова промолчала, хотя отец ожидал реакции на свои слова. И вдруг она произнесла с неожиданным сочувствием в голосе.

— Вот! Я поняла, зачем мы едем! Вы надеетесь, что Ольга к вам вернется? Именно теперь, когда вы снова в зените славы?

Извеков помрачнел. Наверное, так оно и было, только он сам себе в этом не признавался. Жена Ольга Николаевна покинула его год назад. Вениамин Александрович и помыслить не мог, что она не вернется к нему, великому и прекрасному, подарившему ей свое чувство и сделавшему ее спутницей жизни. Сейчас самое время ей вернуться и на коленях просить прощения, но сделать это в роскошном петербургском доме, полном прислуги и постоянных посетителей, совершенно невозможно. Для трогательной сцены семейного примирения нужны камерные подмостки. Это, конечно, их загородный дом в окрестностях Ораниенбаума. Оля тонкая натура, она если и вернется, то именно туда. Там никто не увидит ее слез. Он будет суров, как и подобает оскорбленному мужу, но великодушен. А затем они предадутся безумной любви. Как он скучает по ее молодому телу! За годы супружества он не остыл к ее прелестям. Хотя в последнее время... Да, оно было неприятным, это время!

Извеков выбросил из головы горькие воспоминания и снова обернулся к дочери.

— Ты что-то сказала, дитя мое? — Он погладил ее по голове.

— Я сказала, что ваши мечтания напрасны. Ольга не возвратится!

Вениамин Александрович отдернул руку, как укушенный.

— Почему ты так уверенно это говоришь? Разве ты знаешь более моего?

— Я знаю, что она живет с Трофимовым, и вы это прекрасно знаете, но притворяетесь, будто и понятия не имеете!

— Противная! Как можешь ты говорить со мной в таком тоне! Что ты знаешь о чувствах! Ведь ты еще глупое дитя! Я знаю, для чего ты мне все это говоришь! Чтобы позлить меня в отместку за то, что я заставил тебя покинуть Петербург и ехать со мной!

Они отодвинулись друг от друга и надулись. В тяжелом молчании прибыли на Балтийский вокзал, сели в поезд и тронулись в путь. Вера оставалась безучастной к подробностям поездки даже тогда, когда отца узнал кто-то из пассажиров. Начался гвалт, сумятица, вскрики, автографы. Девушка забилась в угол купе и стоически переносила неудобства папашиной популярности.

Наконец поток визитеров иссяк. Наступила тишина.

— Вот видишь, как меня любит и ценит публика! — отдуваясь, произнес Извеков. — А ты в радостные для твоего отца дни только огорчаешь меня.

Вера вздохнула и обняла Вениамина Александровича за шею.

— Слава богу, примирились! — Извеков облобызал дочь в высокий лоб, и путешествие продолжилось.

Уже в сумерках они прибыли к дому. Усадьба известного романиста соответствовала духу хозяина. Деревянное строение напоминало собой некое подобие готического замка, правда, в уменьшенном виде, но все необходимые атрибуты таинственности и романтизма были соблюдены. Узкие башенки, вытянутые вертикально окна с орнаментом, витиеватые перила лестницы, высокая острая крыша с флюгером, замысловатое крыльцо. Не хватало только рва с подъемным мостом (на это не хватило денег) и собственного домашнего привидения.

— Посмотри! Посмотри, Вера! Там кто-то есть! Это Ольга, она вернулась! Я был прав! — Извеков даже захлопал в ладоши от радостного возбуждения, указывая на освещенные окна дачи.

Вера была неприятно удивлена. Стало быть, она совсем не знает мачеху, коли так ошиблась. Неужели и впрямь та вернулась?

Глава 2

Отец и дочь поспешили в дом. В небольшой гостиной, со вкусом обставленной светло-коричневой мебелью с кремовой обивкой, на диване расположилась с книгой на коленях молодая белокурая дама. Маленькая изящная шляпка с плюмажем покоилась на столе. На даме был горчичного цвета жакет, ладно сидящий на ее стройной фигуре. При виде Извековых она легко поднялась, раскрытая книга упала на пол.

— Оля? — строго произнес Вениамин Александрович. На его лице не осталось и тени радостного возбуждения. Он вошел в роль оскорбленного и сурового мужа.

— Здравствуй, Вениамин Александрович, — произнесла Ольга, но не подошла к нему, а двинулась к падчерице. — Здравствуй, милая Вера!

— Здравствуйте! — Девушка холодно поцеловалась с мачехой и подняла упавшую книгу. — Однако папеньку читаете! — произнесла она с торжеством.

— Что ж тут удивительного! Весь город только и говорит, что о новой книге, так сказать, господина Извекова.

Вениамин вздрогнул. Ему не понравилась последняя фраза жены. Или ему это показалось?..

— Вот именно, что весь город! — пылко продолжала Вера. — И вы пожелали присоединиться к папиному торжеству?

— Пожалуй, — уклончиво произнесла Ольга Николаевна и внимательно посмотрела в лицо супруга.

— Что ж, — Извеков прошелся по комнате, помолчал, разглядывая жену, — вероятно, нам нужно обстоятельно поговорить, и сделать это надо, не откладывая ни на минуту. Ведь ты хочешь поговорить, Оля, не так ли?

Ольга Николаевна кивнула. Вениамин Александрович вздохнул. Она прелестна, на нее нельзя долго сердиться, но он должен выполнить свой тяжкий долг и указать на порочность ее поведения, заставить Олю осознать глубину ее нравственного падения. Да, именно так надо поступить. Супруг мысленно выстраивал в голове обличительную речь. Уж он-то знал цену слова!

— Вера, дочка, пойди к себе да похлопочи насчет легкого ужина, а мы с твоей мачехой потолкуем в кабинете.

Муж и жена удалились, а Вера осталась одна в расстроенных чувствах. Конечно, папа уговорит Ольгу возвратиться. И опять она воцарится в семье. Вера не могла решить для себя, хорошо это в нынешних обстоятельствах или нет. Кроме того, очень хотелось послушать их разговор. Как мачеха станет каяться, какими словами ее будет бранить отец? Девушка поколебалась немного и бесшумными шагами подошла к двери отцовского кабинета. Однако, как она ни старалась, до ее слуха долетали только обрывки разговора, да такие странные, что и вовсе ничего невозможно было понять. В основном она слышала только реплики отца, когда он переходил на крик, Ольгина тихая речь оказалась недоступной для посторонних ушей.

— Это немыслимо, ты лжешь! — раздался громкий возглас Извекова. — Мистификация! Ты не посмеешь, нет, это немыслимо!

Потом разговор перешел на приглушенные тона. Вера улавливала только отрывки фраз.

— Хорошо, будь по-твоему. Мне надо все обдумать...

Поняв, что выяснение отношений заканчивается, Вера поспешила прочь. Она пошла на кухню, недоумевая, о каком семейном ужине можно говорить после подобной беседы. Назавтра прибудет прислуга, и жизнь войдет в привычное комфортное русло, а пока придется обойтись скромным угощением. Вера неохотно кружила по кухне и чутко прислушивалась к звукам дома. Скрипнула дверь, вошла Ольга.

— Ты сама справишься?

На щеках молодой женщины играл возбужденный румянец, в глазах плескалось торжество. Вера не знала, что спросить, как говорить с ней. Ольга Николаевна прервала ее мучительные колебания.

— Все кончено, Вера! Ты можешь торжествовать! Мы разводимся! — выдохнула мачеха.

— Но папа говорил, что никогда не даст вам развода! — вскричала падчерица. — Он не допустит, чтобы его известность пострадала от скандала!

— И тем не менее Вениамин согласился, у него нет выбора, — уверенно произнесла Ольга. — А что до скандала, то он только пойдет на пользу его популярности!

Вера тяжело опустилась на стул.

— Ты сейчас уедешь или... или останешься? — нерешительно произнесла девушка, снова перейдя с мачехой на «ты», как это было меж ними всегда.

— Уже поздно, на ночь глядя я не поеду. Завтра как можно раньше уеду, не буду дожидаться его подъема и всего, что за этим должно последовать.

Они печально посмотрели друг на друга. Ольга подошла к падчерице и нерешительно обняла ее. Та не отстранилась, более того, предательские слезы полились сами собой, против ее воли.

— Я бы тоже хотела поплакать, Вера, о своей погубленной молодости, растоптанной любви и растаявшем счастье. Но я не хочу чернить Вениамина в твоих глазах, впрочем, ты уже взрослая и многое видела сама.

— Ты больше совсем-совсем его не любишь? — тихо простонала девушка.

— Прошу тебя, не будем говорить сейчас об этом! Видит Бог, как мне тяжело! Я пойду лягу, но ты к нему не поднимайся, не надо. Я думаю, что ужина ему уже не хочется, поверь!

С этими словами Ольга Николаевна удалилась в свою спальню. Вера перестала хлопотать на кухне и снова подошла к кабинету отца, хотела постучать, но передумала. Из-за двери доносилось невнятное бормотание, ненавистное позвякивание стекла. Девушка замерла в раздумье, а потом пошла по коридору в темноту пустого дома.

Глава 3

Вениамин Александрович после разговора с женой пребывал в ужасном состоянии. Гром небесный, гибель, мучительное балансирование на краешке былого великолепия! Крах всех надежд и честолюбивых мечтаний! Как он был неразумен и неосторожен! И теперь придется плясать под чужую дудку, и кому! Ему, Извекову, повелителю сердец своих воздыхателей!

Под тяжестью невыносимых дум голова упала на письменный стол, руки бессильно повисли. Упираясь щекой в гладкую темную поверхность палисандрового дерева, он с тоской взирал на горы рукописей, в беспорядке громоздившиеся вокруг. Вот она, погибель! Вениамин Александрович застонал и тяжело поднялся. В воздухе еще плавало облачко Олиных духов, нежных, как ее бархатная кожа. Извекова передернуло. Предательница! Все его предали, все его оставили! Ушла, улетела на небеса первая жена Тамара, затем один из сыновей.

В последнее время он вспоминал о Тамаре все чаще. Как они были счастливы тогда! Весь Петербург лежал у их ног. Еще бы! Ведь это была не просто божественная женщина, а сама красота, знаменитая Тамара Горская, актриса театра и синематографа. Публика рыдала и неистовствовала, видя ее на сцене и на экране. Извеков и Горская — самая изысканная, талантливая и прекрасная супружеская пара столицы!

Потом раздумья о покойной жене приняли иной оборот. Извеков еще пуще налился раздражением и злобой. Ну что тут поделаешь, остается одно спасение. С некоторым сомнением он двинулся к небольшому шкапчику резного дерева, украшенному медными вставками. Стеклянные дверцы шкафа всегда были предусмотрительно задернуты изнутри шелковыми шторками. Потянул за ручку, с легким скрипом дверца отворилась. В далеком уголке притаился небольшой хрустальный графин со спасительной влагой. Он же не будет поглощать ее всю! Так, чуть-чуть, самую малость, залить пожар души! Быстро схватил графин, налил, удерживая дрожь возбуждения в руках, и опрокинул в рот одним глотком. Пошло! Тепло и легкость стремительно растеклись по всем членам, а в голове наступила ясность, принося вожделенное успокоение. Ничего, мы еще поборемся! Хотели Извекова завалить? Не выйдет, кукиш!

Он рассмеялся и уже уверенно плеснул себе еще, потом еще, а там и не заметил, как показалось прозрачное дно сосуда. Волшебное зелье иссякло, а с ним и эфемерная радость освобождения от грызущей тревоги.

Извеков хотел прилечь на турецкий диван, но возбуждение не давало ему сомкнуть глаз. Нет, одному решительно невозможно оставаться. Надобно пойти, но к кому, к жене или к дочери? Очень хотелось пойти к Ольге, грубо, по-хозяйски откинуть шелковое одеяло, овладеть ею, сонной и недовольной. Но даже опьяненным умом он понимал, что теперь это уже невозможно. Тогда, может, пойти к Вере и искать у нее утешения и жалости. Она рассердится, опять кричать станет, ругать его. Ничего не решив, он двинулся в коридор и пошел по пустому и гулкому дому, как медведь-шатун, которому не спится в своей берлоге. Извеков добрел до кухни, но не обнаружил там никакого ужина. Это досадное обстоятельство усугубило его мрачную меланхолию. И тут ему почудились звуки. Может, кто-то из женщин встал? Он поспешил наверх, на второй этаж, где располагались спальни. Однако все комнаты были закрыты. Он постоял в нерешительности, повернулся, собираясь идти к себе, как вдруг увидел слабый свет, лившийся из угловой крайней комнаты, которая раньше принадлежала покойной Тамаре. Вениамину стало не по себе. Померещилось или и впрямь там кто-то есть? Надо бы дворника разбудить. Но что это за силуэт? Господи, сохрани и помилуй! Тамара! Тамара! Боже милостивый! Допился, допился, проклятье, до горячки, до чертиков, в прямом смысле слова!

У Извекова подкосились ноги, он не мог пошевелиться. По коридору навстречу ему плавно двигалась его умершая жена. Высокая прическа из черных волос, любимое темно-зеленое платье облегает стройную фигуру, мертвенным блеском мерцают бриллианты на шее, на голове знаменитая шляпа, в которой она запечатлена на многих фотографиях. Вся фигура укутана газовым шарфом, через который горят глаза, устремленные ему прямо в сердце.

— Тамарочка! Я знал, что ты придешь именно сегодня! Конечно, это и твой день! Прости меня, я... — Вениамин судорожно сглотнул.

Призрак остановился словно в раздумье, а затем бесшумно протянул руку к возлюбленному супругу.

— Ты за мной пришла? — в ужасе пролепетал писатель. — Смилуйся, пощади! Прости меня! Ради бога, иди прочь! Оставь меня! Господи, кто-нибудь! На помощь! Прочь, прочь! Пощади! — Хмель вылетел из головы. Трясущейся рукой он осенил себя крестным знамением и начал бормотать первую пришедшую на ум молитву. Но это не испугало привидение. Оно снова двинулось по направлению к Извекову, и ему почудился тихий смех. От этого звука волосы встали дыбом, он закричал дурным голосом и бросился бежать на подгибающихся ногах. Внизу что-то загрохотало и затопало. Бесы! Сколько их тут, легион?!

— А-а-а! — кричал Вениамин, но ему казалось, что он не слышит своего голоса, что звук клокочет где-то в горле и не вырывается наружу. Так бывает в кошмарных снах, но это был кошмар наяву.

И тут он услышал знакомый голос, спасительно знакомый, но не успел обернуться, как дикая боль в груди ударила его будто кинжалом. Вениамин охнул и упал лицом в пол.

Читающая петербургская публика наслаждалась последним романом известного литератора и не подозревала, что это и впрямь последний его роман, ибо больше он уже не напишет ничего и никогда.

Глава 4

Полицейский следователь Константин Митрофанович Сердюков пребывал на даче Извековых уже почти целый день. Высокий, нескладный, тощий, затянутый в форменный сюртук, он напоминал гигантскую цаплю. Сходство усугублялось наличием длинного носа, уныло направленного в пол. Он мерил дом покойного романиста огромными шагами и сверлил все углы внимательным взглядом серых водянистых глаз. Уже были сняты первые допросы. Услышанное повергло Сердюкова в глубокие раздумья. Он вообще много думал. За это его ценило начальство, и потому именно ему было поручено расследовать странные обстоятельства смерти популярного литератора.

Беседа с молодой вдовой оставила неприятный осадок. Миловидная блондинка с выразительными голубыми глазами была напугана смертью знаменитого супруга, но особенного горя не испытывала, да и не скрывала этого.

— Почему вас удивляет моя реакция, господин следователь? — Она пожала плечами. — Конечно, смерть мужа — ужасное событие, но в последнее время мы жили врозь, вам многие это подтвердят. Прежние чувства умерли, нас ничего не связывает более.

— Тогда что же вы делали в его доме?

— Я приехала переговорить о разводе. Я хотела развода! — Ольге Николаевне неприятно было посвящать постороннего человека в семейную драму.

— И как господин Извеков отнесся к перспективе публичного скандала, не думаю, что его это устраивало? Ведь в своих книгах он выступает эдаким моралистом, поборником добродетели!

— Вот уж не думала, что у доблестной полиции

есть время читать романы, — удивилась новоиспеченная вдова.

— Вы плохо думаете о нас, полицейских! Мол, тупые и ограниченные людишки, бегают с револьверами да воров ищут! Нет, сударыня, смею заметить, что и среди нашего брата есть люди, не чуждые прекрасного!

Сердюков слукавил. Конечно же, он и в руки не брал сочинений господина Извекова, но был наслышан, так как вокруг только о нем и говорили. Неделю назад он обнаружил замусоленную книжку на столе у кухарки, аккурат между разделанной курицей и пучком сельдерея. «Помилуй, Степанида, так ты мне вместо бульону десяток страниц сваришь к обеду!» — забеспокоился Сердюков. Кухарка сердито сунула любимое чтение на полку над головой и обиженно засопела: «Что ж с того, книжка хорошая, душевная! Для женского полу очень даже приятная! А вы вот только и делаете, что газетки просматриваете, не убили ли кого да не ограбили ли!»

Тут кухарка была совершенно права. Сердюков по долгу службы читал «Ведомости Санкт-Петербургского градоначальства и городской полиции». Даже в такой газете появлялись сведения о романах Извекова, собственно, в одной из статей следователь и почерпнул свои оценки.

— Итак, вы желали развода, и муж?.. — Следователь сделал паузу.

Извекова промолвила:

— И муж согласился.

— Вот так просто согласился? — удивился Сердюков, зная по опыту, какие дикие истории происходят в подобных случаях.

— Вероятно, вам покажется странным, но это так! — с нажимом произнесла Ольга Николаевна.

— Хорошо, оставим пока эту тему. Расскажите, что случилось ночью? — От следователя не укрылось, что Извекова с видимым облегчением перешла к другим обстоятельствам произошедшего.

— После разговора с Вениамином Александровичем я ушла к себе и заснула быстро, так как была изнурена тягостной беседой. Мой сон был глубок, поэтому я не сразу проснулась от крика в коридоре. Словно продолжался жуткий сон. Но потом крик повторился, добавился непонятный шум, и я вскочила. Это был крик мужа, и такой жуткий, что меня оторопь взяла. Он просил о помощи, умоляя кого-то пощадить его. В одной рубашке и босиком я выбежала в коридор и сразу увидела Вениамина, лежащего лицом вниз. Я бросилась к нему, с трудом перевернула и поняла, что он мертв. К кому муж обращался, непонятно, потому что в коридоре и на лестнице никого не было. В этот миг снизу примчался наш дворник Герасим, который тоже слышал крики. Он был бледен и крестился. «Что, что произошло, Герасим? Ты видел убийцу?» — вскричала я, но он только тряс головой. Тогда я кинулась в комнату падчерицы. «Вера! Вера! Открой скорее!» Но дверь не отворялась. Я была в панике, что с девочкой, жива ли она? Уже и дворник подоспел, мы хотели дверь высадить, и тут она открывает, бледная как смерть. «Вера, отец умер!» — только и успела я сказать, как она упала в обморок. Потом Герасим поспешил за полицией, и вот вы здесь.

— Стало быть, вы сразу решили, что супруг ваш умер не естественной смертью, а именно был убит?

— Я подумала так, потому что слышала его крики о помощи, и потом, в его голосе было столько неподдельного ужаса! — Вдова передернула плечами от неприятных воспоминаний.

— А не припоминаете ли вы еще каких-либо мелких деталей, которые, возможно, бросились вам в глаза, но, так сказать, не были сразу осмыслены?

Извекова подумала и нерешительно покачала головой:

— Не знаю, нет, я так напугана, что не могу прийти в себя, быть может, потом, позже.

После разговора со вдовой следователь двинулся к девице Извековой. Вера еще не пришла в себя от потрясения, но, помимо горя, на лице ее читались и другие мысли. Она полулежала на низкой кушетке, прикрытая пушистым пледом. Рядом хлопотала полная добродушная горничная, прибывшая рано поутру. Сердюков уже допросил ее, да без толку.

— Не могу ничего знать, сударь! Ведь не было меня ночью, приехала — и попала как кур в ощип!

Зато разговор с Верой дал ему новую пищу для размышлений.

— Вы знали, что Ольга Николаевна приехала просить у мужа развода? — спросил Сердюков, пристраивая свое длинное тело на хлипком гнутом стульчике рядом с девушкой.

«И какого черта делают такую мебель, на которой нормальному человеку и не усидеть?»

Вера слабо кивнула.

— Вы слышали разговор мачехи и отца?

— Нет, я была на кухне.

— Вы знали, чем закончилась их беседа?

— Да, Ольга сказала мне, но я сразу поняла, что она лжет.

— То есть?

— Отец не мог просто так дать ей развод, я точно знаю, мы говорили с ним об этом. — Девушка сделала паузу, словно собираясь с мыслями, а затем выпалила:

— Это она убила, я знаю, чтобы избавиться от него! Он не дал ей развода, они ссорились, я слышала!

— Как же вы могли с кухни слышать разговор в кабинете на другом этаже? — мягко спросил следователь.

— Я... я хотела подслушать, но... но у меня ничего не вышло.

Бледные щеки Веры залила краска смущения.

— Это ужасно, она опозорила отца, обесчестила его имя! Но ей этого было мало! Она погубила его! — Слезы хлынули рекой. Горничная подоспела с платками и успокоительными пилюлями.

Константин Митрофанович вышел и направился еще раз осмотреть место, где было найдено тело. Однако повторный внимательный осмотр площадки лестницы и коридора не дал ровным счетом ничего. Зато здесь он столкнулся с дворником Герасимом. Тот был допрошен первым, и его показания в целом совпадали с рассказом вдовы.

— Я извиняюсь, ваше высокоблагородие, словечко еще дозволите сказать?

— Коли по делу, так говори!

— Ей-богу, не знаю, по делу ли! Только не подумайте, что я того... с приветом... — Дворник боязливо мял шапку и переминался с ноги на ногу.

— Да говори толком, не тяни!

— Я как услышал крик барина, ужасный такой крик, так тотчас и поспешил в дом, да наверх. А как поднялся по лестнице, так и обмер. — Герасим даже прикрыл глаза от ужаса. — Там призрак был!

— Какой призрак? — нахмурился Сердюков.

— Покойной барыни Тамары Георгиевны! — пролепетал дворник.

— Ты сильно пьешь? Вчера много принял? — рассердился следователь.

— Никак нет, ваше высокоблагородие! Вчерась, можно сказать, и не пил почти вовсе!

— Вот, видно, и допился до призраков! Экая дрянь это пьянство! Совершенно разума людей лишает, черт знает что делается! — вскричал раздосадованный полицейский.

— Вы зря изволите гневаться, сударь! Я хоть с вечеру и выпимши был, но самую малость. А как ее, матушку-покойницу, увидал, так и вовсе отрезвел совершенно! Я ее, как вас теперь, видел!

— И что ты видел?

— Платье такое, зеленое, покрывалом вся покрыта тонким, прозрачным... И идет легонько, словно бы и пола не касается.

Следователь с нарастающим интересом слушал собеседника. Видно было, что детали описания привидения им не выдуманы.

— И куда же он делся, этот загадочный призрак?

— А бог его знает! Я как барина на полу увидал, к нему кинулся, а он и исчез в тот же миг.

— Ну, допустим, ты видел нечто необычное. Но почему тогда Ольга Николаевна не видела призрака?

— Она выбежала и тоже бросилась к мужу, привидение у нее за спиной было, да и то — один миг, а потом и исчезло вовсе.

— Значит, кроме тебя, его никто не видел? — следователь вперил в дворника внимательный взор.

— Нет, не видел! — Герасим угрюмо покачал головой. — Оттого я и испугался, решил, что со мной нехорошее случилось, с моей головой то есть. А после мозгами-то пораскинул и думаю, может, оно его и убило, барина-то нашего, то привидение? Ведь оттого он и кричал так жутко, а?

«А ведь он не сумасшедший и не дурак, хоть и пьяница, да не запойный, стало быть, это не горячечный бред. Вот и зацепочка нашлась! Что ж, стало быть, надо и нам познакомиться с этим ужасным привидением и понять суть происходящего!» — думал Константин Митрофанович.

— Хорошо, Герасим! Тут есть о чем поразмыслить, только ты уж, братец, больше-то никому об этом не говори. Дурно пахнет эта история, а тебя в больницу Николая Угодника для душевнобольных упечь могут!

— Боже сохрани! — Дворник размашисто перекрестился. — Уж я такого страху натерпелся, я молчок, будьте покойны-с!

Они разошлись. Сердюков испытывал двойственное чувство от откровений мужика. Он не верил ни в какую чертовщину. Его сухой рациональный ум был склонен искать земное обоснование всем чудесам, особенно тем, за которыми стоит преступление. Но, как всякий живой человек, он не мог побороть жадного любопытства к потустороннему миру, густо замешенного на пещерном ужасе.

Глава 5

После ухода следователя Вера продолжала оставаться в расстроенных чувствах. Умом она понимала, что отца больше нет, но смириться с ужасной потерей никак не могла. Как теперь жить в лучах его славы, популярности, за счет изданий и переизданий книг, но уже без него самого?

По ее указанию послали телеграмму брату Павлу, работавшему инженером на Николаевской железной дороге. Вера ждала его с нетерпением, она не могла в одиночку сносить обрушившееся горе. Мачеха не в счет. Теперь они по разные стороны баррикад. Шаги! Господи, неужели это Павел!

Девушка приподнялась на кушетке и тотчас же со стоном разочарования упала обратно. Вошла Ольга Николаевна. Словно не замечая горящего взора падчерицы, молодая женщина спокойно и уверенно прошла по комнате, резким движением раздвинула тяжелые бархатные шторы, хранившие полумрак прошедшей страшной ночи. В комнату прорвался свет весеннего утра. День был пасмурный, под стать событиям. Ольга стояла у окна, лицом к деревьям, которые стремительно набирали силу. Как она их любила! Теперь, вероятно, она в последний раз любуется на эти упругие ветки, полные живительных соков!

— Я знаю, что ты сказала Сердюкову, — не оборачиваясь, произнесла Ольга Николаевна. — И знаю, что ты обвиняешь во всем меня!

— Подслушивать подло! — только и могла выдавить из себя Вера, памятуя о своей безуспешной попытке ночью услышать их разговор.

— А что более отвратительно — подслушать или оклеветать, возвести ужасную напраслину на невинного человека? — тихим, но злым голосом спросила вдова.

— Напраслину?! — вскричала девушка, вскакивая и путаясь ногами в упавшем пледе. — Напраслину! Кто же, как не ты? Ведь в доме не было никого! Он же не мог дать тебе развод, вот просто так, потому что ты попросила! Ты убила отца, чтобы избавиться от него!

— Вера, ты действительно серьезно полагаешь, что я могла поднять руку на Вениамина Александровича? — В голосе мачехи слышалось искреннее удивление. В нем не было ни гнева, ни досады.

Ольга повернулась лицом к собеседнице, опираясь спиной о подоконник. Стройная изящная фигура в высоком проеме окна, ореол белокурых кудрей — точно красивая открытка из книжной лавки!

Вера не знала, что сказать, она смутилась, замешкалась с ответом. Глядя на мачеху, столь ненавистную ныне, она невольно вспоминала иные времена.

В те далекие годы, девять лет назад, Ольга Николаевна жила со своим отцом Николаем Алексеевичем Мироновым, известным всему Петербургу врачом. Миронов имел широкую практику, множество преданных учеников, десятки статей в медицинских журналах. Николай Алексеевич был лекарь от бога, и даже если пациент не получал вожделенного излечения полностью, сам факт лечения у такого доктора действовал как самостоятельное врачебное средство очень долго. Миронова интересовали разные области медицины, однако же наиболее рьяно он искал пути борьбы с инфекционными заболеваниями, которые косили жителей столицы, будучи самой первой причиной, уносящей людей в могилу. Он являлся активным поборником идей своего знаменитого коллеги Боткина, стал членом Эпидемиологического общества, без устали выступал перед публикой, ратуя за гигиену и чистоту, и призывал городскую Думу раскошелиться на благоустройство рабочих кварталов, где грязь и мерзость неустроенного быта рождали опасные болезни. Доктора Миронова частенько призывали на консилиумы, особенно в тяжелых или непонятных случаях. Среди коллег ходили легенды о его удивительных способностях. «Вы подумайте, только глянул, и диагноз готов!» — говорили о нем.

Однако коварный враг, с которым неустанно боролся Миронов, нанес ему ужасный, непоправимый удар. Супруга доктора, верный и преданный друг, сочувствовала его идеям и много помогала мужу в больнице для бедных. Там-то и заразилась добрая женщина дифтерией, а вслед за ней и дочь Оля. Николай Алексеевич не отходил от постелей больных, не спал и не ел, падал с ног, весь почернел. Однако, несмотря на его опыт и знания, любимая жена покинула бренный мир. А девочку доктор выходил с превеликим трудом. Они остались вдвоем и долго не могли опомниться от горя одиночества и сиротства.

Время шло, и раны потихоньку затягивались. Оля росла и хорошела, превращаясь из шаловливого жизнерадостного ребенка в прелестную «кисейную барышню». Она с одинаковой жадностью поглощала и серьезные книги, и легковесные дамские романы. Штудировала журналы мод, собирала открытки и вырезала из журналов фотографии «этуалей». Правда, в ее комнате по-прежнему проживали и фарфоровые куклы в кружевных платьях, и плюшевые звери на девичьей кровати. Но в хорошенькой головке уже роились сладкие мечты о божественном чувстве и неясные образы будущего суженого. Доктор внимательно следил за развитием дочери. Слава богу, молодой организм преодолел последствия тяжелой болезни. Розовая кожа, блестящие глаза, хороший аппетит и ровный доброжелательный характер — тому доказательства. Оля благополучно отучилась в частной женской гимназии, однако, к некоторому удивлению отца, не пожелала ступить на стезю медицины. Она помогала отцу по его просьбе, жалела страждущих, но представить себя акушеркой или сестрой милосердия никак не могла. Кровь, запах лекарств, бесконечные боли и хвори. Нет, увольте, она и так выросла среди всего этого! Гораздо больше романтическую барышню манили книги, мир театра. Она читала до глубокой ночи, отец бранил ее и тушил лампу. Ходила в театр на все новые пьесы. Влюблялась то в одного, то в другого небожителя. В смелого героя с зычным голосом или томного любовника с лихо закрученными усами, в популярного поэта с безумным горящим взором, которого она узрела в модном литературном собрании. Николай Алексеевич посмеивался над дочерью и даже слегка сердился. Отчего бы Оле не влюбиться в подающего надежды, крепко стоящего на ногах молодого человека? У доктора даже был такой на примете, Трофимов Борис Михайлович, его ученик, а теперь соратник, толковый и деловой, и к Оле, кажется, неравнодушный.

— Папа, это смешно! Твой Трофимов напоминает мне Базарова из сочинения господина Тургенева! Весь в своей науке! Он скучный, и мне совсем неинтересен! Мне нравятся другие мужчины!

— Знаю я, какие мужчины тебе нравятся! — И доктор брал с полки новое увлечение дочери — романы Вениамина Извекова. На первом листе книжки красуется портрет. Эдакий романтический герой, глаза с поволокой, манящие губы в таинственной полуулыбке.

Оля вздыхала. Что толку любить картинку! Грезить по ночам неожиданной встречей, пылким взглядом, нежным посланием? Все это в изобилии юная читательница находила на страницах книг своего кумира.

Однако в последнее время добавилась еще одна проблема. Оля заболела новым модным развлечением — синематографом. Там, в темноте зала, на мелькающем экране она увидела свой идеал женщины, недосягаемую мечту. Тамара Горская — томная, страстная, темноокая и темноволосая красота. Выйдя после фильма «Страсть в ночи», бедная девушка не помнила, как очутилась дома. Образы экрана, безумные любовные страсти, переживаемые героиней, по-прежнему стояли у нее перед глазами. На следующий день Миронова снова сидела в зрительном зале и, затаив дыхание, не отрываясь, смотрела на экран и вздрагивала от звуков рояля. Через некоторое время новый шедевр с неподражаемой Горской покорил сердца столичной публики. «Юная богиня» заставила Оленьку рыдать в голос и пить на ночь успокоительные капли. После «Коварной искусительницы» девичья комната украсилась портретами нового кумира. Горская в огромной шляпе, на лице таинственная тень. Горская, обернувшись к зрителю, в паутине густых черных волос. В шелковом полупрозрачном платье, позволяющем взгляду прикоснуться к пленительным формам. В сияющих лучах солнца, с белозубой светящейся улыбкой.

Как уподобиться тебе, о, прекрасная?! Как стать столь же неотразимой, чтобы волны любви и страсти разбивались и у моих ног?

И каково же было удивление Ольги, когда из газет она узнала, что обожаемое божество замужем за другим небожителем, романистом Извековым! Как же теперь поступить, кого предпочесть и как одновременно поклоняться и мужу, и жене?

Отец не одобрял «бессмысленного идолопоклонничества», но поделать ничего не мог. Оставалось только ждать, когда подлинное чувство вытеснит иллюзорные переживания из души дочери. Николай Алексеевич с простодушной наивностью пытался выступить в роли судьбы, придумывая разные случайности, в результате которых милый его сердцу Трофимов вдруг оказывался в их доме или ненароком попадался Оле на глаза в больнице.

— Папа, нынче опять Боря Трофимов забегал.

— Да, я посылал его по своей надобности.

— Знаю я эту надобность, он битый час просидел подле меня! — Оля смеется. — Все толковал о том, как холерных больных выхаживать! То-то мне это интересно!

— Да! — смущенно трет пенсне отец. — В науке медицинской из него выйдет толк, а вот в науке куртуазии, видимо, нет!

Одного Николай Алексеевич все-таки добился своими неуклюжими попытками. Трофимов влюбился в Олю. И это обстоятельство было видно даже без пенсне. Борис Трофимов, будучи человеком искренним и бесхитростным, увлекся очаровательной дочерью Миронова, но не смел и пикнуть о своих чувствах, так как испытывал к учителю глубочайшее почтение. Поэтому единственное, что мог позволить себе начинающий эскулап, — это робкие ухаживания, принимавшие вид разговоров на умные темы. Он ужасно робел и стеснялся смешливой и неглупой барышни, которой очень хотел понравиться, но не знал, как. Единственной стихией, где он чувствовал себя свободно, была наука, медицина. Да и о чем говорить доктору с дочерью известного на всю столицу коллеги? Оля отчаянно скучала в его присутствии, а уж когда он вдруг позволил себе ироническое замечание в адрес «легковесных и пошлых извековских творений», то и вовсе надулась на собеседника. Трофимов, выйдя на улицу, вдруг осознал допущенную оплошность и ужаснулся своей глупости. На следующий же день рассыльный принес на квартиру Мироновых пакет, украшенный огромный ярким бантом. Внутри оказался новый роман любимца Ольги, в дорогом переплете и с изысканным портретом на первом листе. Накануне перепуганный Трофимов ринулся в книжные лавки, где чуть было не стал жертвой давки. Однако же любовь помогла ему избежать ужасной участи. Трепеща, он послал свой подарок и был великодушно прощен.

Жизнь потихоньку шла своим чередом, но однажды привычный порядок вдруг был взорван огромными переменами. Все началось с переезда в новую квартиру. Миронов, имея большую и доходную практику, смог наконец позволить себе дорогое жилище в самой модной части Петербурга. Семья переехала на Каменноостровский проспект, где селились известные литераторы, адвокаты, артисты и доктора. Новый дом строился в стиле «югендштиль», как, впрочем, и многие другие здания в квартале. Роскошные апартаменты с высокими готическими окнами, камин, выполненный по специальному эскизу, витиеватая лепнина под потолком. Телефон компании «Эриксон». Большая ванная комната, где можно было блаженствовать в пене, как богиня Венера. Прачечная в подвале, яркое электричество, заливавшее все помещения, отопление комнат паром в специальных трубах. Не будет возни с печью и дровами, не будет вечно коптящих ламп! Канализация, удобная уборная. Словом, невиданный комфорт! Пришлось заказывать новую мебель, под стать жилью. Доктор и дочь погрузились в водоворот хлопот и страшных расходов. Это было приятно и утомительно одновременно. Одно печалило Николая Алексеевича: дорогая супруга не увидит всего этого великолепия. Новоселье отпраздновали шумно и весело. Правда, потом еще долго обустраивались и привыкали к новому жилищу.

Дом, где поселились Мироновы, имел репутацию современного, но дорогого. Поэтому некоторые апартаменты пустовали, особенно самые роскошные, в бельэтаже в левом крыле здания. И вот однажды Николай Алексеевич, воротясь домой от пациента, зашел к дочери с таинственным видом.

— Хочу тебя удивить, дорогая моя!

Оля с любопытством воззрилась на отца, отложив очередной роман в сторону. Миронов многозначительно поглядел на обложку и продолжил:

— Угадай, кто теперь будут наши соседи? — Отец хитро прищурился. Оля пожала плечами.

— Не поверишь! Извеков и Горская!

Оля ахнула и впрямь не поверила. Как такое может быть, чтобы олимпийские боги могли жить по соседству!

Глава 6

Оля не поверила словам отца и, наскоро одевшись, выбежала из квартиры. Дойдя до угла здания, она обнаружила ломовики, снующих людей, переносящих мебель, коробки, узлы. Словом, обычную картину переезда, которую можно наблюдать в столице довольно часто. Девушка стояла поодаль, обуреваемая разочарованием. Чего она ждала, и сама не знала, но обыденность происходящего произвела на нее какое-то неприятное впечатление. Тут же находились дети, два непослушных шумных мальчика, которых гувернантка безуспешно пыталась унять, и высокая девочка-подросток. Дети? Нежели у тоненькой, изящной Горской трое детей? А это кто стоит с недовольным и раздраженным видом?

Оля обмерла. Извеков собственной персоной! Только его почему-то не узнать. Лицо сероватого оттенка, мешки под глазами, тычет тростью в узел и говорит сердито. Рядом стоящая дама устало машет рукой и, взяв одного из шалунов за руку, идет к парадной двери. Оля смотрит и не верит собственным глазам. Нет, это не она! Или она? Дама поднимает голову и видит девушку на тротуаре. Опять поклонницы! Что ж, тяжело бремя славы, иногда оно ох как мешает! Горская улыбается, иначе нельзя! И тотчас же свет божественной улыбки озаряет утомленное лицо, на секунду исчезает усталость и отступают заботы. Перед девушкой оживший знакомый портрет. Оля оробела, неловко поклонилась и в большом смущении поспешила домой.

Николай Алексеевич тотчас понял, что произошло. Бедная девочка испытала горькое разочарование, увидав, что ее кумиры живут на грешной земле и их жизнь не отличается от будней обывателей.

— Тебя удивил вид Горской! Но помилуй, ведь когда она далеко на сцене или и вовсе на экране, она кажется значительно моложе! Грим, свет — и зритель видит совсем иного человека! К тому же последнее время ее новых фильмов что-то не выходит!

Разговор происходил за обедом. Оля без аппетита ковыряла сардины в своей тарелке, чем вызвала недовольство отца.

— Ты уж, милочка, ешь, пожалуйста, не хандри!

Оля молча наклонилась над тарелкой, но пища не лезла в рот. Разве таким она представляла благородного и прекрасного Извекова? И эти неприятные, шумные дети! У таких-то родителей! Нет, увиденное ужасно! Она не перенесет крушения своих иллюзий!

— Вот и хорошо, что ты поняла. Любимцы публики тоже люди, и совсем не стоит наделять их какими-то удивительными чертами! Теперь ты, быть может, и на простых людей обратишь свой взор, а?

Может, и Трофимов не покажется уже столь заурядным, хотя это, ей-богу, несправедливо!

— Опять ты о своем несносном Трофимове! — Оленька в отчаянии бросила салфетку на скатерть и горько заплакала.

— Вот дела! — подивился отец. — Эдак, душенька, у тебя случится полное расстройство нервов!

Но дочь уже не слушала его. Она выскочила из-за стола, и, обливаясь слезами, побежала к себе. Но и там не нашла ее душа отдохновения, ибо изо всех углов на нее смотрели обожаемые кумиры в их прежней неземной красе. Оля невольно стала представлять себе, как они обживают квартиру. Садятся за стол, дети дерутся и капризничают. Бранят прислугу. Ссорятся меж собой или целуют друг друга. Принимают ванну или, о, боже мой, посещают уборную! От подобных картин Оля невольно прыснула и задумалась. В подобных образах они еще не являлись к ней. Однако представлять сюжеты такого рода оказалось не менее интересно, нежели грезить наяву о романтических погонях, свиданиях под луной и томных поцелуях в таинственных замках. И тут Оля поняла, что теперь ей страстно хочется только одного: увидеть эту жизнь своими глазами, потрогать руками, подглядеть в щелочку!

Пришедший Николай Алексеевич нашел дочь совершенно успокоившейся.

— Я вот что подумал, уж коли у них трое детей, то вскорости они за мной пришлют. Чихнет кто, или понос разберет. Так что я предполагаю быстрое и близкое знакомство со знаменитым семейством!

Просто удивительно, как стремительно иногда сбываются даже самые смелые мечтания!

Миронов оказался провидцем. Все произошло именно так. Не прошло и месяца, как один из мальчиков захворал. Прибежала прислуга и просила от имени своих господ соблаговолить осмотреть ребенка, принося при этом тысячу извинений за беспокойство. Оля ждала отца в величайшем нетерпении. Вернулся он поздно, и его рассказ дочь слушала с жадностью.

— Как я и предполагал, обычная семья, обычные хлопоты. Трое деток — это нешуточная обуза для любой женщины, а тут такая знаменитость! Только дома этого не заметно. Усталая и расстроенная мать семейства! Однако дама чрезвычайно любезная и доброжелательная. Никакого снобизма и заносчивости, и красота ее в домашней обстановке какая-то иная, более трогательная, что ли! Милейшая женщина, ангел!

— А Извеков, каков он?

— Трудно сказать, я его и не видел почти. Он вышел из своего кабинета только поздороваться да попрощаться напоследок. Двух слов не сказали друг другу. Горской вроде как и неловко было. Отговорилась муками творчества, мол, иногда сами его сутками не видят, не выходит, все творит!

Оля задумалась. Этот образ вполне вписывался в ее представления о жизни великих писателей.

— А дети, они и впрямь столь несносны?

— Вовсе нет, подвижные веселые мальчикипогодки. Шумные, как вся ребятня в их возрасте. Балованные только. А вот девочка непростая, сложная девочка, с характером!

В последующие месяцы доктора неоднократно призывали в дом именитых соседей. В конце концов Николай Алексеевич условился, чтобы Тамара Георгиевна попросту звонила по телефону, а не гоняла всякий раз горничную. Постепенно выяснилось, что именно сама Горская более других членов своей семьи нуждается в услугах Миронова. Таким образом, он стал личным врачом знаменитой актрисы. Естественно, Николай Алексеевич не обсуждал с дочерью болезней своей пациентки, но всякий раз по его лицу Оля понимала, что Горскую донимают нешуточные хвори. И это казалось юной барышне непостижимым, потому как на людях и на экране актриса производила впечатление цветущей женщины. Но что можно разглядеть издалека да под вуалью?

Иногда знаменитая чета приглашала гостей. Оля могла тогда наблюдать, как под вспышками фотоаппаратов съезжались богачи и знаменитости в неописуемых нарядах, в роскошных колясках, а некоторые даже прибывали на модных новинках — автомобилях, которые фыркали и дымили, пугая любопытных и дворовых кошек. К слову сказать, после того, как Извеков и Горская поселились в доме, многочисленные поклонники их талантов сделались бесконечной головной болью для неименитых жильцов, дворника и швейцара. Миронова с ревнивой досадой замечала всякий день на посту перед парадной или под окнами то экзальтированных дамочек, то полубезумных юношей. Каждый чаял узреть своего кумира. Проходя мимо, Оля окидывала их презрительным взором, забывая, что сама недавно была такой же. Девушка по-прежнему грезила о своих любимцах, но эти фантазии теперь носили весьма приземленный характер. По рассказам отца она могла живо представить обстановку дома, характеры детей, Тамару Горскую в домашней обстановке. Только Вениамин Александрович оставался загадкой, он почти не покидал стен кабинета, так что порой доктор, уходя, и не знал, есть хозяин дома или нет.

И вот однажды Николай Александрович заявил дочери:

— Нынче говорили с Горской о тебе.

Оля встрепенулась.

— Она жаловалась на Веру, свою дочь, а я, грешный, похвастался, что меня Господь наградил за труды мои истинным ангелом, моей милой доченькой! Тогда она и предложила тебе навестить их в будущее воскресенье, полагая, что для ее девочки положительный пример дочернего послушания совершенно необходим!

— Ой, папа! Какой ужас! Зачем, зачем ты выставил меня в таком свете? Я вовсе не ходячая добродетель! Это, ей-богу, глупо! — Оля от досады вплеснула ручками.

— Отнюдь! Подружишься с юной барышней Извековой, будешь вхожа в дом, как свой человек. Ведь ты об этом мечтала? — заметил отец.

Накануне знаменательного визита бедная девушка не могла ни есть, ни спать. Она тысячу раз перебрала в голове, как она будет вести себя, что говорить, что наденет. Бог ты мой, и спросить совета не у кого! Не побежишь ведь к гимназическим подругам, какой от них прок? На другой день она долго мучилась перед зеркалом и наконец, вполне удовлетворенная собой, вышла к отцу. Миронов оторопело уставился на дочь.

— Ты это что себе позволяешь? Что за нелепый наряд? А прическа! Господи, а что с вашим лицом, сударыня? Неужто ты возомнила себя красоткой с этих пошлых картинок в журналах?

Оля со смешанным чувством снова бросилась к зеркалу. На нее смотрела вульгарная и яркая дамочка, эдакая кафешантанная красотка непонятного возраста. Миронов пал духом. Бедная девочка, ей некому помочь, подсказать. Как сложно воспитывать дочь без матери! Вспомнив о покойной жене, он смягчился.

— Пойми, глупенькая, ты хороша своей юностью, тебе нет нужды цеплять на себя все это именно сейчас. Придет время, успеешь еще и корсет затянуть потуже, и губы нарисовать поярче, и волосы взбить. А теперь ступай обратно да сними с себя все это поскорее, и лицо умой. Будь сама собой. Надень платьице, в котором в церковь ходишь, оно и скромное, и красит тебя чрезвычайно!

— Это блеклое, нелепое платье! Я его просто ненавижу! — Олины глаза наполнились слезами.

— Если ты вздумаешь реветь, мы никуда не пойдем, а госпоже Горской я принужден буду заявить, что моя дочь оказалась глупой и капризной барышней! — решительно сказал отец.

Оля все же поплакала тихонько в своей комнате, совсем чуть-чуть, чтобы глаза не покраснели. Она путалась в белье, чулках, лифе, яростно терзала волосы, уничтожая замысловатое сооружение на голове. Через полчаса она снова предстала перед строгим судьей. На сей раз это была прежняя милая Оля, прелестная, естественная, в шелковом кремовом платье, вовсе не таком уж и блеклом. В свое время она сама выбирала его в модном магазине и считала его очаровательным. Волосы аккуратно заколоты черепаховыми шпильками вокруг затылка, образуя пушистую корону. На стройных ножках шелковые светлые чулочки и изящные туфельки из тонкой кожи. Доктор оглядел дочь с ног до головы, и они отправились с визитом.

Глава 7

Мироновы нервничали, стоя перед массивной дверью с начищенной медной ручкой и фигурной кнопкой электрического звонка. Оля боролась со смущением и робостью, Николай Алексеевич волновался за дочь. Шутка ли, предстать перед такими знаменитостями! Миловидная горничная распахнула дверь, и гости очутились в просторной прихожей. Оля на секунду зажмурилась. Сейчас ее грезы станут явью. Она сделала несколько шажков и замерла. Из глубины квартиры доносились звуки рояля, и приятный женский голос выводил популярный романс.

— Барыня-с! — пояснила горничная на вопросительные взоры. — Пожалуйте, вас дожидаются!

Оля, следуя за горничной, с нескрываемым любопытством оглядывала комнаты. Да, да, именно так она и представляла себе квартиру Извековых по рассказам отца. Роскошь, но не грубая, вычурная, а тонкая, на ценителя. Роскошь прекрасного вкуса, продуманного комфорта, с расчетом не только на собственное бытие, но и на предвзятый посторонний взор. Сценические подмостки в собственной спальне и столовой. Гостиная была обширной, и вся залита электрическим светом. Переливы хрустальной люстры под лепным потолком заставили Миронову ахнуть про себя. Ее огни отражались в натертом до зеркального блеска наборном паркете. Мебель мастерской Гамбса была расставлена таким образом, чтобы образовывать отдельные уголки, удобные для общения разных групп гостей. Высокие окна украшены богатыми шторами, собранными в сложные затейливые складки. Меж окон красовался беккеровский рояль, упираясь в пол львиными лапами. На полу в углах, на столиках и этажерках в изобилии благоухали многочисленные цветы в вазах и корзинах. От живого великолепия, нежного аромата, ярких лент и оберточной бумаги у девушки закружилась голова. Сидевшая за роялем хозяйка поднялась навстречу гостям.

— С непривычки вам может почудиться, что вы в оранжерее Ботанического сада, но это скоро пройдет! — мелодичным голосом произнесла Горская. — Прошу вас, Ольга Николаевна, не смущайтесь!

И она дружески чуть обняла не на шутку оробевшую барышню. У Оли едва не отказали ноги. Сама богиня говорила с ней! Тамара Георгиевна подвела гостью к одному из кресел и усадила. И тут Оля обнаружила, что в комнате присутствует еще одна девушка, вернее, девочка-подросток. Видимо, это и есть Вера, старшая дочь хозяев. Догадка оказалась верной, девушек познакомили. Вера с пытливым любопытством воззрилась на новую знакомую, словно ища в ней некий изъян. Оля незаметно вздохнула, вероятно, мать накануне уже ставила ее в пример. Николай Алексеевич первым делом поинтересовался здоровьем хозяйки и домочадцев, после чего они стали тотчас же обсуждать эту тему.

— Ольга Николаевна, вы, вероятно, тоже являетесь почитательницей папы и мамы? — Вера сверлила гостью взором.

— А разве в вашем доме бывают люди, которые думают иначе? — мягко улыбнулась Оля, чувствуя в девочке какую-то внутреннюю враждебность. — Я зачитываюсь книгами вашего отца и пересмотрела все спектакли и фильмы с вашей маменькой, и не один раз!

Девочка удовлетворенно кивнула.

— А кого вы обожаете больше, писателя Извекова или актрису Горскую? — помолчав, спросила она с некоторым лукавством.

Оля легонько рассмеялась.

— Это разные искусства. Каждый хорош в своем амплуа!

— Вера! Ну, как тебе не совестно приставать к госпоже Мироновой с нелепыми вопросами! Быть может, она не любит кино или такого рода чтение! — Горская с укором вмешалась в диалог девушек. — Вы простите ее, она еще совсем юна и искренне убеждена, что все вокруг должны принадлежать к нашим обожателям. Увы, Вера, жизнь в искусстве полна не только роз, шипов в ней еще больше! — наставительно произнесла мать, обращаясь к девочке.

— Однако же роз явно больше! — Миронов, улыбаясь, прикоснулся к одному цветку. — А дочь моя и впрямь без ума и от вашей игры, и от книг вашего супруга.

— Кто тут без ума от моей скромной писанины? — раздался громкий голос за дверью, и на пороге появился Извеков собственной персоной.

Оля завороженно смотрела, как он раскланялся с отцом, а затем двинулся в ее направлении.

— Так-так! Вот, значит, какая чудная дочь у нашего ангела-хранителя. Да она сама подобна нежному ангелу! — И Вениамин Александрович слегка прикоснулся губами к Олиной ручке.

Ее хотелось закричать и убежать, такое волнение объяло всю девичью натуру. Она в смущении отвела взгляд и увидела глаза Веры. В них была ревность. Миронова знала от отца, что девочки, случается, испытывают очень сильные собственнические чувства к родителю, ревнуя его порой даже к матери. И как было не любить такого мужчину!

Перед Олей стоял оживший портрет из книг, сама романтическая мечта, сама изысканность и загадочность. Девушка почувствовала, как волны магического влияния Извекова захлестнули ее. Лицо Тамары Георгиевны тронула неуловимая саркастическая усмешка. Завязалась беседа. Оля поначалу отмалчивалась, потом, подбадриваемая любезной хозяйкой, осмелела и развеселилась. А веселиться было чему. Хозяин дома оказался непревзойденным рассказчиком и шутником. Оля слушала его как завороженная. Боже, как он прекрасен, как умен! Как выразительны его глаза, подвижно лицо, какой чарующий голос с бархатными интонациями!

Подали чай с пирожными, коньяк, мадеру и фрукты. Извеков живо плеснул себе солидную порцию в небольшой пузатый бокал. Доктор бросил внимательный взгляд на бокал хозяина, сам же чуть пригубил вина. Оля тем временем, с трудом оторвавшись от созерцания Извекова, украдкой поглядывала на его жену. Так ли она безупречно хороша в жизни, как на экране и на афишах? Удивительное дело, обнаружились морщины, легкая седина, обозначившаяся складочка около губ, усталость в движениях. Но это ничуть не умаляло ее красоты, не портило неотразимого обаяния и необычайной притягательности! Сколько же ей лет?

Тайные наблюдения молодой гостьи были прерваны победным кличем двух сорванцов, которые вырвались из-под надзора гувернантки и клубком вкатились в гостиную.

— Кирилл! Павел! Несносные мальчишки! —

Мать хотела, чтобы голос ее звучал строго, но в нем слышалась только усталость и любовь.

— А, молодые люди! — приветствовал их Миронов. — Судя по резвости движений, у вас, Кирилл, живот уже не болит? А что это за шишка на лбу у вашего младшего братца?

Мальчики наперебой закричали, обвиняя один другого в обидах и побоях. Вера сморщилась от их криков и демонстративно зажала уши руками. Мать терпеливо выслушала поток бессмысленных обвинений. Конечно, всем взрослым казалось, что глупо ссориться из-за сломанной старой игрушки. Но дети так не считали. Они готовы были тотчас же опять мутузить друг друга. Извеков явно начинал терять терпение, на лице его появилась уже виденная Олей гримаса раздражения. Дети его утомляли. И немудрено, великие писатели нуждаются в постоянной тишине и покое для создания своих бессмертных произведений! Как это граф Толстой умудрялся творить в доме, где росло не трое, а тринадцать детей! Тамара Георгиевна поспешила привлечь к себе обоих сорванцов и погасить ссору ласками и поцелуями.

— Вот так всегда! — с досадой прошептала Вера, а мать взглянула на нее с укоризной.

Успокоившись, мальчики разом воззрились на гостью. Оля растерялась, она побаивалась шумных детей, не зная, как вести себя с ними. При ближайшем рассмотрении она поняла, что они не столь малы, как ей показалось вначале. Просто ростом невысокие, крепенькие, как два боровичка. Волосы густые, темные, глаза большие и яркие. Эффектная красота матери уже чувствовалась во всем их облике, чего не скажешь о Вере. Ей также передались изысканные черты родительницы, но все портило недовольное и капризное выражение, которое не сходило с ее личика. Удивительно, но сходства с Извековым в детях совсем не наблюдалось, словно он и не был их отцом.

Мальчики стали кружить вокруг молодой гостьи, и той пришлось волей-неволей уделить им внимание. Видя, что братья собираются втянуть Ольгу в свои несносные игры, Вера высоким голосом произнесла:

— Ольга Николаевна, хотите, я комнату свою вам покажу?

Конечно же, любопытно было взглянуть, Оля по себе знала, как много тайн может быть сокрыто в девичьей светелке. Надо только уметь их увидеть. Она кивнула в ответ, и девушки покинули гостиную.

Жилище Веры оказалось занимательным. Конечно, тут красовались портреты ее знаменитых родителей, книги отца. И этим оно не отличалось от комнаты барышни Мироновой. Но здесь гостья обнаружила альбомы с неплохой акварелью и рисунками, аккуратные вышивки, стопки нот. Оля не ожидала у девочки таких интересов и талантов.

— Вы удивлены? — с некоторым вызовом спросила Вера, прочитав мысли гостьи по лицу.

— Отнюдь! — дружелюбно ответила Ольга. — У таких родителей не может быть обычных, бесталанных детей!

— Какие такие таланты! — с досадой воскликнула Вера. — Я не могу написать ни строчки, не могу лицедействовать даже в домашних спектаклях! Нет во мне ничего такого! Я самая обычная, никудышная и никому не интересная! Со мной говорят только из интереса к родителям! Я...

Она задохнулась от чувств и замолкла, испугавшись неуместной откровенности с малознакомым человеком.

— Мой отец известный и очень хороший врач. Конечно, его известность не сравнится с популярностью ваших родителей, Вера. Я же самая обычная девушка и не страдаю от этого. Каждый человек послан в эту жизнь Богом для своей особой роли, и мы не знаем, что это за роль. Какой прок переживать, что вы не точное повторение своих гениальных родителей? Зато у вас есть то, чего нет у других людей, и оно так же прекрасно, как прекрасно вообще все, что нас окружает, только мы часто не видим этого, не понимаем и не ценим!

Ольга, улыбаясь, перебирала акварели. Вера, задумавшись над ее словами, молча положила на колени Мироновой пухлый альбом. На его страницах многочисленные гости оставляли свои записи и рисунки. Оля полистала альбом, и ей стало жаль Веру. Взрослые люди, писавшие в альбоме для девочки, в первую очередь рассчитывали, что их записи прочтут Извеков или Горская. Она поняла, что бедняжка жила в пустоте, у нее не было близких подруг, с которыми так здорово пошептаться о девичьих тайнах! Единственные, кого она жаждала бы иметь друзьями, — это родители. Но тем было недосуг. У знаменитых личностей мало времени! Искусство, поклонники, светские обязанности! Да еще несносные братья, которые отрывают внимание и любовь родителей. Остаются жалкие крохи!

— Хотите, будем дружить? — предложила Ольга, захлопнув альбом.

Вера смотрела недоверчиво.

— Полно, Вера, нельзя жить на свете такой букой! — Оля придвинулась ближе к девочке, а та вдруг пылко обняла ее.

— Вы чудная, такая добрая, светлая! Вы как моя мама!

Оля обмерла. Услышать подобное из уст дочери Горской! Она даже растерялась, но положение спасла горничная, пришедшая звать барышень вниз, в столовую.

Во время обеда Оля то и дело ловила на себе заговорщицкие взгляды Веры. Еще бы, теперь у них появилась маленькая тайна. Тамара Георгиевна с явным удовлетворением заметила, что девушки подружились. Ее беспокоило одиночество дочери, и взрослая благовоспитанная барышня пришлась как нельзя кстати. За столом по-прежнему царил хозяин дома. Выпитое вино разгорячило его, кровь прилила к щекам, сделав лицо с тонкими чертами особенно выразительным. Разговор касался литературы. Оля, читавшая много, очень хотела вставить словечко, но робела. Горская иногда поддакивала мужу, который сыпал умными мыслями и остротами как из рога изобилия. Даже доктор Миронов в конце концов замолчал, боясь прослыть невежей в этом доме. Между тем шаловливые дети, уловив момент, когда внимание к ним ослабло, скользнули на пол и оказались под столом. Уже потом Оля узнала, что это была любимая домашняя забава, дергать гостей за платья и ноги. Через мгновение она почувствовала, как маленькие озорные ручки тянут ее туфли в разные стороны. Девушка с трудом подавила желание взвизгнуть, чем испортила шалунам все удовольствие. По ее лицу Горская поняла, что происходит. Извеков, прервав на полуслове свой яркий монолог о судьбах русской литературы, уже тащил сыновей из-под скатерти, щедро раздавая им тумаки. Преступников выдворили из гостиной, и беседа возобновилась.

— Вы явно понравились нашим детям, мадемуазель, — стремясь скрасить неловкость, произнес Вениамин Александрович. — Они в барышнях знают толк и кого попало за ножки хватать не будут!

Вера при этом фыркнула, а Тамара Георгиевна едва заметно вздохнула.

После знаменательного знакомства не прошло и нескольких дней, как Вера пригласила новую приятельницу прогуляться в сад «Аквариум». Приглашение было принято с благодарностью, и в сопровождении гувернантки, блеклой сухой англичанки мисс Томпсон, они отправились на прогулку. День выдался чудесный, солнечный. Правда, ветер, налетавший порывами, грозил унести прочь шляпы дам. Иногда он и вовсе позволял себе непристойные вещи. Вздымал вверх юбки, показывая прохожим стройные ноги, запрятанные под многочисленные складки и оборки. Мисс Томпсон злилась и шипела, как старая недовольная кошка, пытаясь унять полет юбок, придерживая их специальным шнуром.

— В Петербурге всегда или дождь, или ветер, или снег. Какой ужасный климат! Неужели царь Петр не мог выбрать другого места для своей столицы! — произнесла она по-английски трубным голосом и высморкалась.

— Но, мисс Томпсон, жители Петербурга уверены, что в Лондоне дожди идут каждый божий день, и такой туман, что ни зги не видно! — со смехом заметила Ольга.

— Глупые небылицы! — последовал недовольный ответ.

В это время налетевший ветер одним махом сорвал шляпу с головы гордой дочери Альбиона и понес ее прочь. Вся троица с громким криком устремилась вдогонку. Беглянка вскоре была поймана, но имела жалкий вид. Такой же вид был и у ее хозяйки. Англичанка с отчаянием воззрилась на покалеченную шляпу и не рискнула более водрузить ее на голову. Казалось, прогулка безнадежно испорчена. Но мужественная женщина не могла пренебречь своим долгом во имя внешности. И они отправились дальше. К слову сказать, вечером Вера в красках поведала матери о горе гувернантки, и уже на следующий же день по распоряжению Горской была куплена и доставлена новая шляпа.

В саду, как всегда, было полно народу. Разодетая щеголеватая публика валом валила в синематограф, ресторан, летний театр, прохаживалась по оранжереям среди экзотических растений. Прилипнув носами к стеклу, рассматривала рыб и прочих обитателей морского дна в огромном аквариуме. Девушек закружил людской водоворот. Мисс Томпсон, покорившись горькой судьбе, уныло плелась следом. Хорошо, что хоть мальчиков оставили дома. Вот непоседы! А барышня Миронова очень мила! Прекрасное общество для мисс Веры.

В тот момент, когда огромная пучеглазая рыба лениво проплыла мимо лица Ольги, сзади раздался изумленный радостный вопль:

— Оленька!

Оля отпрянула от стекла аквариума и обнаружила за собой Трофимова. Его счастливая улыбка показалась Ольге Николаевне просто идиотской. Пришлось познакомить его с Верой и гувернанткой. Борису было все равно, кто стоит рядом с его ненаглядной Оленькой. Но девушка не разделяла его энтузиазма. Она и помыслить не могла, что далее они будут прогуливаться вчетвером. И тут ей в голову пришла коварная мысль. Заявив, что уже пора подкрепиться, она решительно потащила всю компанию в сторону самого дорогого ресторана, заранее зная, что у небогатого Трофимова наверняка нет таких денег. И впрямь, Борис тотчас стушевался и сник, отговорился неотложными делами и откланялся. Глядя вслед уныло ссутулившейся спине, Оля испытала нечто близкое к угрызению совести.

— Жалко! Ошен жалко! Короший молодой человек! — прогнусавила проницательная англичанка. — Позвольте, мисс, дать вам совьет. Из таких бедных и нелепых мальчик иногда выходит достойный муж и кавалер! Надо толко глядеть вперед, ошень зорко глядеть, госпожа Миронова. Как это у вас говорят, лутше синиц в руках, чем в небе журавел!

Чертова англичанка! Тебя лишь не хватало с глупыми сентенциями! Видимо, ты в своей жизни не словила не только журавля, но и синицы!

Оля делано улыбнулась. Настроение испорчено окончательно. Придется и впрямь зайти в ресторан и съесть чего повкусней!

Глава 8

Следователь Сердюков пребывал в раздражении. Что еще за привидение? Разве может водиться привидение на обычной, хотя и очень дорогой, даче под Петербургом? Доселе он полагал, что призраку подобает появляться как минимум в старинном заброшенном доме или древнем замке. Выплывать из тьмы веков, так сказать. А тут-то откуда? Дом построен лет двадцать назад, а то и меньше. Хотя на замок в миниатюре и впрямь похож! Полагая, что от дворника более ничего нельзя добиться, он снова решился побеспокоить сироту. Когда он вошел, в комнате Веры оказалась и вдова.

— Прошу простить меня, сударыни! Существует одно престранное обстоятельство, которое мне бы хотелось выяснить безотлагательно.

Сердюков выжидательно замер у входа, справедливо полагая, что при сложившихся обстоятельствах его могут и за дверь попросить. Тем более что нюхом опытного сыщика он ощутил некую напряженность или даже враждебность между женщинами, разлитую в воздухе.

— О господи, это несносно! — простонала Вера, бессильно откинувшись на подушках.

— Вера, возьми себя в руки! — строго произнесла Извекова. — Господин Сердюков пребывает здесь не из праздного любопытства. Он ищет причину смерти твоего отца!

— Благодарю за понимание, госпожа Извекова! — скромно поклонился Константин Митрофанович.

Длинными ногами он в два шага пересек комнату и опустился на указанный ему стул. Стульчик жалобно скрипнул. Хозяйки одновременно посмотрели с недовольным видом.

— Что вы еще хотели узнать, господин следователь? — со вздохом спросила Ольга Николаевна.

— Видите ли, сударыня, ей-богу, я даже не знаю, как и подступиться к этому вопросу.

— Вы хотите узнать нечто деликатного свойства? — Лицо женщины стало напряженным.

— Наверное, можно и так сказать. Однако водятся ли в вашем доме привидения? — собравшись с духом, выпалил следователь.

— Привидения? — изумилась Извекова и с подозрением стала вглядываться в лицо собеседника, словно ища там следы слабоумия.

Следователь тем временем отметил про себя, что Вера не вскрикнула удивленно, как ее мачеха, а испуганно прикрыла веки.

— Кажется мне, сударыня, что падчерица не

разделяет вашего недоумения. Позвольте полюбопытствовать, Вера Вениаминовна, вам не доводилось сталкиваться в этих стенах, или, быть может, в саду, или еще где-нибудь с чем-либо, что могло вас напугать, нечто непонятное, жуткое?

— Доводилось, — глухо ответила девушка.

Мачеха вздрогнула и посмотрела на нее с нескрываемым недоумением:

— О чем ты, Вера?

— О том, что я видела.

— И что вы видели, сударыня? — как можно мягче произнес полицейский.

— Я видела... — почти шепотом выдавила из себя девушка. — Я видела маму.

Ольга Николаевна охнула и прикрыла рот рукой.

— То есть призрак мамы, — едва слышно добавила девушка.

— А как она, то есть он, тьфу ты, словом, как выглядело то, что вы видели? — продолжал расспрашивать следователь.

— Она была в своем любимом зеленом платье. На голове шляпа, вуаль, бриллианты на шее.

Страшные воспоминания давались Вере с трудом. Она совсем изнемогала. Бледное лицо покрылось испариной.

— Призрак сказал вам что-либо или показал жестами?

— В первый раз она просто прошелестела мимо, и все. После она подошла совсем близко, а когда я опомнилась от страха, исчезла. В третий раз...

— Бог ты мой, был и третий! — пролепетала Извекова, глядя с ужасом на падчерицу.

— В третий раз я решила, что непременно переборю свой страх и попытаюсь заговорить с ней.

— И вам это удалось?

— Да, но она не ответила мне, только протянула руку, улыбнулась и... пропала! — Вера начала давиться слезами.

— Вера Вениаминовна, пожалуйста, припомните, где, при каких обстоятельствах появлялся призрак Тамары Георгиевны?

— Все три раза здесь, на даче. Первый раз это случилось прошлой осенью. Она явилась мне ночью, у дверей моей комнаты.

— Но ты ничего не говорила ни мне, ни отцу! — воскликнула Ольга Николаевна.

— До меня ли вам было! — язвительно ответила девушка. — Вы с папой ссорились, выясняли отношения, а потом и вовсе исчезли. Мы остались одни, была уже глубокая осень, пора возвращаться в Петербург. Но отец тянул, видимо, надеялся, что вы воротитесь. Ведь он и теперь приехал, думал встретить вас тут. Вот и встретил. Свою смерть!

Вера метнула ненавидящий взгляд в сторону мачехи, та побледнела, но присутствие постороннего заставляло ее быть сдержанней.

— Прошу вас, сударыня, продолжайте! — Сердюков легонько дотронулся до пледа, которым была укрыта Вера.

— Да, я продолжу. Мы остались одни. При нас жил дворник, горничная, камердинер отца, повар. Соседи, их тут совсем немного, и те все съехали.

Однажды, уже стояла ночь, лил бесконечный дождь и мне не спалось. Я беспокоилась о папе. Он тяжело переживал разрыв с Ольгой Николаевной. Хворал, тоже не спал. Я слышала его шаги по дому и вышла из своей комнаты, чтобы пойти к нему. В коридоре царил мрак. Я сделала несколько шагов и увидела ее. Я не поняла, откуда она появилась и в какой момент. Я так испугалась, что, мне кажется, на миг потеряла сознание, а когда пришла в себя, вокруг была пустота и звенящая тишина, такая странная, плотная тишина. Или это у меня уши заложило от страха, не знаю. Я бросилась к отцу, но он уже спал, и, памятуя о его бессоннице, я не посмела его тревожить. На другой день я решила, что у меня, вероятно, произошло расстройство нервов или, того хуже, галлюцинации. Я совсем пала духом, испугавшись душевной болезни.

Второй раз призрак мамы появился прошлой осенью, накануне нашего отъезда отсюда, буквально за день. На сей раз мы повстречались у ее комнаты. Кажется, одета она была так же. Да, все три раза в одно и то же. Я попыталась заставить себя не бояться и понять, происходит это в моем воображении или на самом деле. Но страх оказался настолько силен, что я не могла ни двигаться, ни говорить. И опять призрак появился внезапно, ниоткуда и так же внезапно исчез. Потом в Петербурге зимой я долго колебалась, сказать папе или нет. И приняла решение, что, ежели привидение придет снова, я заставлю себя не трусить и вступить с ним в контакт.

— Это очень смелое решение, — задумчиво

произнес Сердюков. — Такое и взрослому мужчине не под силу. Страх, да еще пред потусторонним миром, непобедим.

— Вы правы, непобедим. Особенно если не понимаешь, кого бояться, призрака, если он и вправду является тебе, или самого себя, своего сознания, порождающего призраков!

Вера некоторое время молчала. Ольга Николаевна смотрела на нее с нескрываемым ужасом. Сердюков не знал, что и думать. Однако барышня не потеряла присутствия духа и мыслит очень даже критически. Так что вряд ли это ее видения.

— В последний, третий раз она явилась вчера вечером. Это снова произошло около ее комнаты. Я оказалась там, потому как моя спальня рядом. Сидя у себя, я услышала какой-то шум. Я знала, что дом пуст, что здесь только я, отец и Ольга Николаевна. Давеча они опять выясняли отношения, я испугалась за папу, ведь он очень нездоров, и выскочила за дверь. Передо мной стоял призрак. Я оторопела от неожиданности, но, вспомнив свою клятву, двинулась к нему, хотя ноги меня не слушались и волосы встали дыбом.

«Мамочка! Это ты? Если это ты, скажи, чего ты хочешь, не пугай меня, не мучай!» — прохрипела я сдавленным голосом.

Она печально так на меня посмотрела и взмахнула рукой в сторону комнаты отца.

«Папа? Ты хочешь что-то сказать мне о нем?»

Я хотела подойти, но призрак заколыхался, поплыл в глубь коридора и исчез опять совершенно внезапно, словно растаял. Теперь я понимаю, она хотела предупредить меня, но о чем? Как я могла предотвратить ужасную развязку? Я совершенно ослабла от пережитого ужаса и поплелась к себе. Рухнула на постель и впала в забытье. Не знаю, сколько все продолжалось по времени. Может, несколько мгновений, может, больше. Забытье мое было столь глубоким, что, когда Ольга Николаевна стала барабанить в дверь, я не сразу услышала стук. А когда открыла, на меня обрушилась ужасная новость о смерти отца. Тогда я и поняла, что мама хотела ее предотвратить, но я не догадалась, глупая, я не должна была уходить к себе, надобно было пойти к нему, ведь именно туда она показывала рукой!

Вера натянула на себя плед и снова горько заплакала. Ольга Николаевна выслушала рассказ падчерицы в совершеннейшем оцепенении. Сердюков вежливо подождал, пока потоки слез иссякнут, и, стараясь быть как можно более деликатным, спросил:

— Я понимаю, вы были очень испуганы и взволнованы, но, быть может, вы заметили что-нибудь, какую-нибудь деталь. Кроме вас, там никого не было?

— Никого, — всхлипнула Вера.

— А на лестнице, что ведет на первый этаж и упирается как раз в другой конец коридора? Ведь расстояние очень невелико.

— Да нет же, говорю вам, не было никого!

— Не было или вы не видели?

Вера удивленно замолкла.

— Конечно, на лестнице мог кто-нибудь стоять, я могла его и не приметить. Это и был убийца?

— Я пока не могу дать вам ответ на ваш вопрос. Вера Вениаминовна, вы очень помогли следствию. Я благодарен за вашу откровенность, прошу простить меня за то, что я снова заставил вас пережить весь этот кошмар. А сейчас позвольте откланяться, вам надо хорошенько отдохнуть.

С этими словами полицейский поднялся и направился к выходу. Извекова поспешила за ним.

— Что вы думаете об этой истории, Ольга Николаевна? Судя по всему, для вас это тоже новость?

— Я даже не знаю, что вам сказать, — в растерянности произнесла вдова, — вряд ли она выдумала все это, хотя... Кто знает...

— Я не склонен считать рассказ вашей падчерицы выдумкой, потому что призрак видела не только она. А тот факт, что два разных, заметьте, очень разных человека видели одно и то же, совпадающее в деталях, говорит о том, что это не выдумки и не галлюцинации.

— Но кто же еще видел призрак? — почти шепотом произнесла вдова и боязливо оглянулась вокруг.

— Дворник, дворник вчера видел призрак хозяйки, и, собственно, именно от него я первый раз и узнал о нем.

— Дворник... — удивленно протянула Извекова. — Как все странно! Ну, я, пожалуй, пойду прилягу. А то от этих кошмаров у меня разыгралась мигрень.

Она потерла ладонью лоб и медленно пошла к себе. Сердюков проводил ее задумчивым взглядом.

Ольга вошла в комнату и остановилась. У нее не было сил идти дальше. После смерти мужа она пыталась держать себя в руках, выглядеть достойно, прежде всего в своих собственных глазах. Но нелепые россказни Веры о призраке Горской ее подкосили. Неужели девочка серьезно больна? Чувствительная душа угнетена и не вынесла ноши внезапного горя. А дворник? Конечно, пьянице может привидеться невесть что! Но почему это в точности совпадало с видениями Веры? Значит, оно и впрямь было, это привидение?

Как такое может быть в двадцатом-то веке? И если покойная являлась, то что она хотела? По готическим романам Ольга Николаевна знала, что привидения — это души, которые не могут обрести покоя. Что беспокоит незабвенную красавицу Горскую? Странно, что она не являлась супругу, который женился второй раз, едва дождавшись окончания траура. Почему не приходила к Ольге, занявшей ее место в земной жизни?

Извекова задумалась, пытаясь представить себе то, что якобы видела ее падчерица. Удивительно, но память тотчас же услужливо нарисовала яркий портрет усопшей. Шуршащее темное зеленое платье, плотно облегающее стройную фигуру, черные волосы, собранные в высокую прическу, яркие карие глаза и полные чувственные губы. Сладкий аромат духов...

...Оля даже слегка отшатнулась. Горская смотрела на нее умоляющим взглядом.

— Оленька, милая моя, ради бога, не думайте, что в моем предложении есть нечто для вас оскорбительное. Моя просьба — это просьба друга! Что же делать, если мисс Томпсон так некстати захворала!

— Помилуйте, Тамара Георгиевна! Что может быть оскорбительного в вашей просьбе поглядеть за детьми! Я с удовольствием побуду с ними, тем более что теперь мы дружны! — пробормотала Оля, не уверенная, что отец одобрит ее поступок.

— Ах, но мне так неловко, так неловко! — продолжала стенать Горская. — Представьте, мой режиссер неожиданно предложил мне роль! Я уже не рассчитывала, то есть я, конечно же, ждала ее... — Тамара Георгиевна запнулась.

Рассказывать девочке о том, что в последнее время она живет в страхе грядущего забвения? Что театр давно обходится без прежней примадонны, ее уже почти никуда не приглашают? Режиссерам и антрепренерам она была интересна юной и полной жизненных сил. А когда отвратительные болезни терзают твою плоть и заживо съедают красоту, это быстро становится заметно и на сцене, и на большом экране кино, и никакие ухищрения гримера не помогут! Да еще куча детей, которых некуда девать и приходится тащить с собой то на гастроли, то на съемки, вызывая раздражение всей труппы. Пока она была звездой первой величины, их еще терпели, а вот когда под тобой начинает раскачиваться невидимый трон и на горизонте маячат следующие поколения богинь, тут уже приходится приноравливаться к обстоятельствам. А они, эти обстоятельства, таковы. Надобно за двое суток прочитать сценарий. Господи, какая пошлость, какая убогость! Но что поделаешь! Иного нет! И прежние были ужасны. Но она своей игрой и женственностью превращала эти ремесленнические поделки в подлинные шедевры! График съемок очень жесткий. Месяц летом. И никаких детей, только работа! Никаких капризов, особых условий и прочего, что раньше даже и не обсуждалось! Все это означает только одно: если она опять не согласится, а такое несколько раз случалось, вместо нее возьмут другую красотку, помоложе и побойчее. Может, она не будет так хороша и талантлива, но ведь и сама Горская уже не та! На Вениамина нечего рассчитывать. Он не выйдет из своего кабинета, даже если будет землетрясение. А гувернантка, как назло, слегла, и, видать, надолго. Ответ надо дать немедленно, временного человека для присмотра за детьми скоро не найдешь. Они, конечно, уже не очень малы, в школу ходят, но такие сорванцы и непоседы, что за ними постоянно нужен глаз да глаз. Вот и пришла в голову дикая мысль броситься в ноги Мироновым. Доктор, правда, может обидеться за дочь: мол, она вам не прислуга. Поэтому Тамара Георгиевна хотела снова извиниться и просить, но Оля ее перебила:

— Тамара Георгиевна, я полагаю, что для вас это предложение чрезвычайно важно. Вы дорожите им, я вас понимаю. Не надо мне ничего объяснять, я рада помочь, я рада, что вы считаете меня своим другом! — пылко произнесла Оля.

— Спасибо, милая! — Горская порывисто обняла девушку.

Оля покраснела от удовольствия и неловкости одновременно. Она видела, что Тамара Георгиевна пребывает не в лучшей своей форме, это даже не надобно было объяснять. И так видно. Фильмов с ее участием становилось все меньше и меньше. Она все чаще оставалась дома, мучимая болезнью и семейными хлопотами. Ни то, ни другое не прибавляло ей красоты и здоровья. Предложение новых съемок оказалось единственным за последние месяцы, и Горская ухватилась за этот шанс.

Доктор Миронов не выразил особой радости от известия, что его дочь будет временно замещать заболевшую гувернантку известного семейства. Помощь, конечно, дело гуманное. Но Николая Алексеевича пугало, что Оля отнеслась к своей новой роли с восторгом и излишним энтузиазмом.

— Кажется, ты ни о чем и ни о ком другом, кроме как об этом семействе, и думать не можешь! Даже твоя собственная жизнь, собственная личность интересуют тебя меньше, чем жизнь этих людей! — пробурчал он недовольно, засовывая руки в карманы домашнего халата.

— Да, папочка, да! — Оля в возбуждении кружила вокруг отца. — Как было бы здорово, если б...

— Если бы ты могла жить в их семье? — саркастически подхватил Миронов. — На положении гувернантки, горничной, или, быть может, фантазия тебе рисует роль второй жены Извекова? Так ведь он, милая моя, не мусульманин! Ты совсем помешалась и на нем, и на ней!

Но Оля, счастливая от предвкушения грядущей близости к кумирам, не обиделась на злые слова отца.

— Полно, папочка! Ты говоришь вздор специально, чтобы позлить меня, чтобы я расстроилась и отказалась. А я не откажусь, потому что не вижу в этом для себя большой беды! Разве что твоему любимцу Трофимову и вовсе никакого внимания от меня не достанется!

— То-то и оно! Ты уже взрослая, а мыслишь как дитя малое, живешь фантазиями. Спустись на землю и оглянись вокруг! И не придумывай себе ничего эдакого, так и до греха недалеко! — Миронов строго воззрился на дочь.

Как он был прав в своих опасениях!

Глава 9

Роль гувернантки оказалась довольно трудной. Милые шаловливые мальчики быстро перестали быть милыми, оставаясь шаловливыми, непослушными, неуправляемыми, шумными. Правда, Оля получила в лице Веры преданного друга и помощника. Девочка старалась умерять свои капризы, чтобы не усложнять жизнь обожаемой Оленьке. Мисс Томпсон слабым голосом из своей спальни давала барышне Мироновой ценные советы по обузданию детей. Но все это не пугало и не огорчало девушку. Она не сердилась и не раздражалась. Пыталась сохранить дружелюбие и веселость. К концу первого дня ее пребывания в доме выяснилось, что Извеков находится в квартире. Оля опешила, когда пробежавшая мимо горничная торопливо бросила на ходу, что барин поднялись и требуют к себе. Поднялись? Но ведь уже вечер!

Через некоторое время Вениамин Александрович вышел из своих покоев, одетый в щегольской домашний костюм. Оле его лицо показалось слегка одутловатым.

— Ах, вот кто тут командует сегодня! — Он широко улыбнулся и, похоже, даже не удивился. — То-то я слышу с утра шум и гам! У вас другой метод воспитания, чем у мисс Томпсон.

В это время мальчики бросились к отцу и повисли на нем, как две мартышки.

— Сорванцы! Подите, подите от меня! Я же вам не дерево! Да и вы уже не столь маленькие и легонькие, как раньше! — И дети с радостным шумом отбежали прочь.

Следующей была Вера. Она прижалась к отцу, и он нежно погладил ее по голове. Девочка даже прикрыла глаза от удовольствия. Оля, глядя на эту картину, испытывала двойственное чувство. Ей нравилось откровенное проявление чувств. Но в доме Мироновых это было не принято. Хотя Оля ни секунды не сомневалась в том, что ее собственный отец любит ее не меньше, чем Извеков своих чад.

— Ольга Николаевна! Как приятно снова лицезреть вас в нашем жилище! — торжественно провозгласил хозяин дома. — Надеюсь, наши дети не очень утомили вас?

— Нет, о, нет! — торопливо ответила Оля. — Они... они шалят в меру, — она запнулась.

Вениамин Александрович засмеялся.

— Не пытайтесь изобразить моих детей лучше, чем они есть! Уж я-то их знаю! Мы с Тамарочкой у вас в долгу! Чего изволите за свои труды? Желаете ли, прекрасная синьорита, чтобы я отобразил ваш нежнейший образ в одном из своих будущих произведений?

Оля совсем смешалась, покраснела и потупилась. Румянец, загоревшийся на ее щеках, придал ей еще больше трогательной прелести. Вениамин Александрович окинул девушку опытным взором знатока. Она почувствовала этот оценивающий взгляд взрослого мужчины всем телом и сжалась еще сильней. Извеков протянул руку и чуть дотронулся до ее щеки. Оля замерла, но продолжения не последовало. Хотя ей почему-то почудилось, что он хочет ее поцеловать. Папенька и впрямь был прав, у нее фантазии!

Извеков вздохнул и отошел прочь. Вера неподвижно наблюдала за этой сценой, а потом бесшумно исчезла.

Какое-то время они оставались в гостиной вдвоем. Оля так растерялась, что потом даже не могла припомнить, о чем шел разговор, да и был ли он вообще? Да нет, вероятно, был, только она не осмелилась и слова вымолвить. Дома девушка долго не могла заснуть. Все перебирала в мыслях новые впечатления. В голове была невообразимая каша. Вениамин Александрович теперь сочетал в себе прежний образ, почерпнутый из портретов и романтических мечтаний, разнообразные черты благородных и пылких героев его собственных книг, а также свою живую, подлинную сущность, явившуюся неискушенной барышне во всей красе. Плавные мягкие движения, легкое подрагивание тонких пальцев, держащих гениальное перо. Завораживающий голос, проникающий в самые глубины души. Глаза, боже, какие глаза! Они и ласкают, и насмехаются, и зовут, и манят, и дразнят! Его взор обволакивал. Она утопала в волшебстве его глаз, и выплывать совсем не хотелось. Да, теперь до спасительного берега разумного поведения совсем далеко! Папа, как всегда, оказался прав. Как было бы замечательно, если б она могла стать частью их семьи! Конечно, это абсурд, нелепость. Но помечтать так приятно. Она не претендует ни на что. Она просто хочет любоваться, упиваться ими обоими. Все время находиться рядом. Угождать им, даже прислуживать. Ничто не может унизить ее, ничто не умалит ее любовь и преклонение перед божествами.

Прошло два дня, и в воспитательный процесс пришлось вносить стремительные изменения. Режиссер Огарков, да, да, тот самый, талантливый, гениальный, великий и прочее, прочее, смилостивился над Горской. Ей были позволены все прежние вольности, подобающие великой актрисе. Тем более что часть съемок, как выяснилось, решено было провести под Петербургом, совсем недалеко от дачи Извекова и Горской. Поэтому шумное семейство снялось с места и отправилось в свои загородные владения вместе с Ольгой. Николай Алексеевич явно не одобрял продолжения ее затеи, но делать было нечего.

— Что ж, — буркнул он напоследок, — буду с утроенным усердием лечить мисс Томпсон!

Ольга трепетала от предвкушения встречи с таинственным миром кино. Но поначалу пришлось пережить долгий переезд на поезде, суматоху сборов, бесконечное баловство мальчиков в пути, духоту вагона. Нет, мисс Томпсон героическая женщина, и как это она слегла только сейчас?

Тамара Георгиевна встретила детей и Олю радостными вскриками и новым потоком извинений. За хлопоты девушке была обещана полная картина съемок фильма. Однако радость ожидания была омрачена появлением крайне неприятной особы. Ею оказалась матушка госпожи Горской. Высокая плотная старуха с крючковатым носом, пучком седых волос, в которых отдаленно угадывалась некогда богатая шевелюра, и голосом кавалерийского полковника — такой оказалась Агриппина Марковна. Глядя на нее, невозможно было представить себе даже отдаленного родства с божественно прекрасной и нежной Тамарой Горской. Дама шумно отдувалась от пыли дороги, погоняя прислугу, таскавшую вещи из тарантаса.

— Приехала помочь тебе, моя дорогая! Кто же, кроме матери, бросит все и помчится на подмогу! Вот ведь опять твое ненаглядное сокровище Вениамин кинул тебя в одиночестве и остался в городе! И черт знает, что он там делает, один, без должного догляду! Кобелина!

— Маман, прошу вас! — Тамару Георгиевну

покоробило от ее грубости, которая, впрочем, была привычным делом. — В доме посторонний человек!

— Это еще кто? — Старуха сердито оглянулась на оторопевшую Ольгу.

— Позвольте представить вам барышню Миронову Ольгу Николаевну.

Но Тамара Георгиевна не успела закончить фразы, как Агриппина Марковна перебила ее:

— Так что же у этой барышни Мироновой дети носятся как очумелые и чумазые, подобно простолюдинам?!

— Мама! — покраснела от смущения Горская. — Ольга Николаевна не гувернантка! Она моя гостья, дочь доктора Миронова! Она была очень любезна и согласилась присмотреть за детьми во время съемок.

— Так, стало быть, вы не новая гувернантка? — удивилась старуха. — А я-то решила, что моя дочь наконец выставила вон самодовольное английское чучело!

Оля почувствовала, как стали предательски подергиваться губы. Ну нет! Не плакать! Хотя очень обидно!

Девушка, вечером оставшись одна, долго смотрела на себя в зеркало. Неужели она имеет такой же бесцветный и засушенный лик, как бедная мисс Томпсон? Хотя за англичанку ей тоже стало досадно, в целом она Оле была даже симпатична.

Как девушка поняла из разговоров, отдельных брошенных реплик, взглядов, жестов и вздохов, Агриппина Марковна слыла грозой семьи. Дети ее боялись, особенно мальчики. С ними она была строга и непреклонна. На другой же день оба получили и порцию подзатыльников и нравоучений, и множество нелицеприятных определений. Так же сурова старая женщина была по отношению к своему знаменитому зятю. Слыша, как она в другом конце дома его поносит и корит за глаза, можно было подумать, что речь идет об убогом ничтожестве, пьянице и бабнике. Оля не верила своим ушам. Она была бы и рада не слышать злобной напраслины, но громогласные рассуждения старшей Горской достигали ее слуха повсюду. Правда, к Вере она относилась со странным терпением, хотя девочка боялась капризничать в ее присутствии.

Но особенно поражала Миронову Тамара Георгиевна. В ответ на обидные или злобные замечания она или махнет легонько рукой, мол, пустое говорите, мамаша, или головой покачает, улыбнется мягкой светлой улыбкой. И ничего более! Оля уже кипит про себя, так ей обидно за детей или Извекова, а Горская словно слушает и не слышит. Плохое и неприятное пролетает мимо, не касаясь ее души. Старая, сердитая на весь мир мать и ее гениальная, добрейшая, прекраснейшая дочь. Как это странно!

— Стало быть, вы дочка Николая Алексеевича? — вновь спросила Агриппина Марковна за вечерним чаем, вонзив в девушку острый взор.

Оля поежилась. Так, наверное, рассматривают какое-нибудь насекомое. Внимательно, настороженно, враждебно. Чего спрашивать снова, разве за день у нее мог образоваться другой родитель?

— Да, мой отец — доктор Миронов. Очень известный в Петербурге врач, — набравшись смелости, почти с вызовом произнесла девушка.

Тамара Георгиевна ободряюще улыбнулась ей со своего места за самоваром.

— Да, да, знаем, знаем, Тамарочка говорила мне, — старуха отхлебнула чаю. — Уф, горячий! — И стала обмахивать себя батистовым платком.

— А что, и вы, верно, за врача замуж пойдете?

— Не знаю, не думала об этом, — смутилась Оля.

— Напрасно не думали! — наставительно произнесла Агриппина Марковна. — В жизни женщины все зависит от того, как она замуж выйдет. Выйдет за дурака, пьяницу, фитюльку никудышную — и все, пропала моя душечка! Будь ты хоть трижды красавица, умница-разумница, талант. Все насмарку! — Она выразительно поглядела на дочь.

Горская, не поднимая головы, раскладывала по блюдечкам вишневое варенье для детей. Оля же, понимая, что сказанное предназначено вовсе не для нее, покраснела.

— Выйти за доктора очень хорошо! — продолжала свои разглагольствования старуха. — Чуть какая болезнь — спасение при тебе. Опять же, жалеет жену, понимает... Нет, за доктором лучше, чем за писателем!

Вот оно куда клонилось-то! Оле стало так неловко, что она готова была бежать из-за стола. Девушка даже боялась посмотреть в сторону Тамары Георгиевны. Но, судя по тому, что сии неприятные сентенции остались без должного ответа, можно было предположить, что подобное происходило часто, и к этому в семье привыкли. Однако Оля не могла примириться с услышанным.

— Вениамин Александрович чудесный писатель! — робко вступилась за кумира Миронова.

— Вздор! — фыркнула Агриппина Марковна.

— Но, бабушка! — встряла в беседу Вера. — Я же приносила вам последний папин роман, вам понравилось, вы сами говорили, что даже плакали в конце.

— Чудесный писатель вовсе не означает чудесный муж или отец! — резко изрекла Агриппина Марковна.

Повисла неприятная тишина. Тамара Георгиевна уже без улыбки смотрела на мать.

— Талант имеет право на снисходительное отношение со стороны тех, кто его любит, — тихо произнесла она мелодичным голосом.

Оля чуть не бросилась к ней на шею от восторженных чувств, которые вспыхнули в душе от ее слов.

— Слишком много снисходительности, слишком много! — еще бубнила старая ведьма, но ее злобное бормотание уже не пугало девушку. Она увидела воочию, как велика сила подлинной любви!

А на следующий день перед Олей открылся великий и таинственный мир синематографа.

Глава 10

Покуда тряслись в коляске по ухабистой дороге к месту съемок, Оля, по своему обыкновению, уже нарисовала мысленно чудесную картину.

И, как уже случалось с ней не раз, действительность оказалась совершенной иной. Во-первых, что поразило ее с первого взгляда — это множество крикливых, мельтешащих людей. Кто-то куда-то бежал, что-то жужжало, что-то перетаскивали. Словом, никакой романтики, таинственности и поэзии.

— А, Горская, слава тебе, господи! Я уж думал посылать за вами! Опять припозднились, голубушка! — сердито вскричал всклокоченный мужчина непонятного возраста и звания.

— Отчего же поздно? Леонтий Михайлович, вы ко мне несправедливы, еще и полудня нет! — пропела Тамара Георгиевна, плавно спускаясь с подножки коляски и опираясь на услужливо подставленную руку одного из ассистентов.

— Полудня нет, а спешка уже есть! — продолжал кипеть режиссер. — А это кто еще с вами? Я же просил, минимум посторонних людей на площадке, минимум! А то скоро сюда за вами весь Петербург приедет.

— Ольга Николаевна Миронова, мой друг и помощница, — последовал краткий ответ.

Огарков что-то хотел возражать, но Тамара Георгиевна, махнув в его сторону царственной ручкой, уже двинулась гримироваться. Дети, к удивлению Мироновой, попритихли. Видно было, что многие их тут знают и относятся к ним вполне дружелюбно. Оля принялась осматриваться вокруг и с удивлением поняла, что нагромождение невзрачных пыльных предметов, разбросанных тут и там, — это декорации. Потом в течение дня на ее глазах они превращались то в роскошные апартаменты героя-любовника, то в заброшенный замок, то в лесную избушку. Оля только диву давалась, вспоминая, как все выглядит на экране. Наконец появилась Тамара Георгиевна. Она была укутана в темный плащ с капюшоном, из-под которого выбивались спутанные волосы. Бледное лицо с лихорадочным румянцем неприятно поразило Олю. Но Горская уже не видела никого, она была в роли, в своих переживаниях. По сценарию ее героиня бежит, спасается от погони одна, через множество препон, навстречу неизбежной гибели. Оля накануне поздно вечером украдкой заглянула в сценарий, который Горская со вздохами читала весь день, украшая поля многочисленными пометками к улучшению. По-видимому, в гримерной она уже высказала свои суждения, потому как следом шел сценарист в безукоризненном чесучовом костюме, соломенной шляпе и с неприязненным выражением лица.

— Помилуйте, Тамара Георгиевна! Вы всегда чем-нибудь да недовольны! Не буду я в сотый раз переписывать в угоду вам! — бубнил он, но не очень уверенно.

— Переписывать не придется, не надо! Я сама все переменю, прямо сейчас, перед камерой. И вы увидите, как все хорошо получится, естественно, без ложного сентиментализма, — спокойно произнесла Горская, направляясь в сторону декораций, изображавших лесное убежище беглянки.

Сценарист тяжело вздохнул и покорился. Весь его угрюмый вид говорил о том, что он наступил на горло своей музе в угоду капризной примадонне. Потом долго и утомительно репетировали, ссорились, опять репетировали. Сняли несколько дублей, да, кажется, неудачных. Миронова устала и разочарованно отошла в сторону. Рутина синематографа, его изнанка повергли ее в уныние. И как это на экране все получается таким захватывающим и интересным?

Оля нашла детей, принесла корзину с едой, расстелила небольшую скатерть и усадила их на траве неподалеку от места съемок. Когда пикник на природе подходил к концу, из кустов вынырнул уже виденный ею ассистент режиссера и, задыхаясь, произнес:

— Вот вы где!

— А в чем дело? — удивилась Оля.

— Господин Огарков, наш режиссер, срочно вас, барышня, требуют!

— Да что такое-то?

— Пойдемте, пойдемте, тут мадемуазель Вера за братьями присмотрит, — и он почти силком потащил Олю за собой.

— Куда вы подевались? — сердито прокричал режиссер. — Мне нужна одна девица, вот там, на заднем плане, ваша физиономия вполне подойдет. Ступайте, пусть вам переменят прическу!

Оля остолбенела. Она тоже будет сниматься в кино, ее лицо появится на экране, да еще рядом с самой Горской! О таком счастье она и мечтать не могла! Девушка решила не обращать внимания на бесцеремонность Огаркова. Быть может, у них тут так принято? В наскоро сколоченной дощатой гримерной ей быстро сделали какую-то невообразимую прическу, прилепили маленькую нелепую шляпку. Затем измазали лицо противным жирным гримом, отчего оно стало смуглым и блестящим. Оля с ужасом глядела на себя и не узнавала своего отражения. Когда она появилась на съемочной площадке, Горская, которая сидела на раскладном стуле и устало обмахивалась веером, увидев Миронову, расхохоталась.

— Что мне теперь делать? — робко спросила юная артистка.

— Вам ничего особенного делать не надо, — сказал Огарков. — Стойте вон там, а когда Тамара Георгиевна пройдет мимо, улыбнитесь, поклонитесь слегка и смотрите ей вслед. Все ли понятно?

Чего уж тут не понять? Оля старательно улыбалась Горской раз пять или шесть, сколько сделали дублей, она не поняла. Сама себе девушка показалась просто неотразимой в первой и последней роли. Потом, уже сидя в зале синематографа на Невском проспекте, она с нетерпением ждала этих кадров. И когда она наконец узрела себя, то в первый миг даже не узнала. Что это за чумазая девица с глупой улыбкой? Какой нелепый вид, какой бессмысленный взор! И всего несколько секунд, а снимали чуть ли не полдня! Нет, Горская великая актриса! Как сложно оставаться привлекательной на экране!

На другой день предстояла съемка самого ответственного момента фильма, самой драматичной сцены — трагической смерти героини. Оля обратила внимания, что Тамара Георгиевна с утра углублена в себя, грустна. Должно быть, входит в образ. Нешуточное дело, сколько дублей умирать-то придется!

На сей раз гример постарался на славу. Актриса была так бледна, с такими ужасными кругами под глазами, что, как говорится, краше в гроб кладут. Собственно, для этого и старались. Действие разворачивалось в декорациях, изображавших спальню героев. Коварный изменщик предал героиню и бросил ее на произвол судьбы. Несчастная страдает и принимает яд. Умирает в страшных мучениях и является любовнику в виде призрака. Сей призрак возникает на пустынной дороге, прямо под копытами лошади. Герой падает и разбивается насмерть. Порок наказан.

Для съемок своих сцен из Петербурга всего на пару дней прибыл и главный герой. Он еще не столь знаменит, как его партнерша, но участие в этом дуэте, несомненно, принесет ему славу. Он молод, красив и страшно самонадеян. Правда, для полной красоты ему не хватает пышности кудрей. Не беда, аккуратный паричок, водруженный на его плешь умелыми руками, — и вот уже от него глаз не оторвать. Только нельзя сильно головой трясти в угаре страсти или горячке погони.

Оля, еще не опомнившаяся от собственного дебюта, с возрастающим напряжением следила за Горской. Чувствовалось, что все участники процесса сегодня пребывают в ином состоянии. Состояние духа Тамары Георгиевны невольно передавалось каждому, кто подходил к ней или говорил с нею. Даже вечно сердитый Огарков кричал меньше.

Наконец все было готово. Приступили. Застрекотала камера. Горская лежала на кровати, ее поза и лицо выражали крайнюю степень отчаяния. Вот она встала, стенает, терзает всклокоченные волосы, поводит по сторонам мутным взором. Оля почувствовала, что холодеет. Героиня медленно берет склянку с ядом, дрожащей рукой подносит ко рту. Склянка падает, осколки летят в стороны (рядом приготовлено еще несколько штук для дублей). Агония. Страшные конвульсии, стоны. Полное, абсолютное ощущение физического страдания. Оля замерла, у нее перехватило дыхание. Ведь Горская умирает, разве они не видят, что она на самом деле умирает! Боже! Отчего они не понимают! Последний вздох!

— А! А! Мамочка! — раздался душераздирающий вопль.

Это Вера стала оседать на людей, стоящих рядом. Камера прекратила стрекот. Какое-то мгновение стояла гнетущая тишина.

— Снято! — смущенно буркнул Огарков и поспешил к примадонне.

Площадка взорвалась аплодисментами. Горская открыла глаза и обессиленно приподнялась. Оля облегченно выдохнула. Чудо! Ведь только что здесь торжествовала смерть! Но тотчас же пришлось вспомнить о Вере. Бедная девочка плакала навзрыд.

— Мамочка, мамочка! Зачем она играет такие

страшные сцены? Я боюсь за нее! — Слезы потоком лились из ее глаз.

— Ну что ты, милая, ведь это все понарошку! Это же искусство, твоя мама — гениальная актриса! — Миронова попыталась утешить бедняжку.

— Нет, вы не понимаете, никто не понимает, она же призывает свою смерть! — простонала Вера.

Оля отшатнулась от юной пророчицы.

Между тем Тамара Георгиевна уже спешила к дочери.

— Вера, ты опять плачешь? Это же просто смешно, не ставь меня в глупое положение, успокойся, мне неловко за тебя, право, перестань! — Она притянула дочь к себе.

— Вам нечего стыдиться! Поистине велика сила вашего таланта, божественная царица Тамара! — Подошедший Огарков стремительно наклонился, поймал ее руку и приложился к ней сухими губами. — Ребенок всегда различит фальшь! Это потрясающе! На сегодня все! — крикнул он съемочной группе и устало пошел прочь.

Глава 11

Именно об этом старом фильме с участием покойной Горской невольно вспомнила Ольга Николаевна. Она, размышляя о видениях падчерицы, все же склонялась к естественному объяснению, а именно к мысли о болезненных проявлениях в душе самой Веры. Отчего ей вдруг привиделась мать в таком странном виде? Да она уже однажды наблюдала подобное, еще ребенком, на съемках! Именно оттуда она и почерпнула образ Тамары Георгиевны в виде призрака, укутанного прозрачной вуалью. Но если следовать идее фильма, призрак явился как наказание за порок, как возмездие. И если нынешнее явление рассматривать в подобном ключе, то... возмездие оправданно, но Вера не может знать... Или?..

Ольга Николаевна никак не могла сосредоточиться, мысли ускользали. Подступили заботы, связанные с погребением мужа. Каковы бы ни были их разногласия в последний год, она оставалась женой знаменитого писателя, которого придет проводить в последний путь весь Петербург. Его имя уже вписано в анналы литературы. Необходимо продумать все до мелочей, не ударить в грязь лицом. А на это требуется столько душевных сил! Пришлось опять временно заселиться в квартиру на Каменноостровском проспекте. Вот уж не предполагала, что снова придется жить в этих роскошных апартаментах. В ее комнатах все оставалось на своих местах, ничего не тронуто, не передвинута ни одна безделушка. Вениамин, без сомнения, ждал ее возвращения в любой момент, каждый день. И каждую ночь. Извековой стало не по себе, пожалуй, даже слегка совестно. Да, почти десять лет жизни, и каких лет! Нет, нет, нельзя позволять себе жалости, иначе следом потянется сомнение, а потом, не дай бог, и раскаяние. Необходимо, как учил ее Трофимов, быть решительной и твердой в мыслях и поступках. Нельзя раскисать и расслабляться, следствие по-прежнему идет, а похороны еще впереди.

В передней раздался звонок, и горничная доложила о приходе Сердюкова. Вот бесцеремонный тип! Ничего нет для него святого!

— Сударыня! Прошу меня простить, что снова осмелился беспокоить вас в печальные дни, — следователь согнулся пополам, клюнул протянутую руку и расположился напротив хозяйки.

— От всего происшедшего у меня голова кругом идет, — со вздохом произнесла вдова.

— Немудрено. В наше время похороны — это и горе, и большие хлопоты, тем более для вас, учитывая известность вашего супруга! Хотя, как я полагаю, эти беспокойства избавят вас от более неприятных вещей, — полицейский многозначительно замолчал.

— О чем вы говорите, не понимаю, куда вы клоните? — встрепенулась Извекова.

— А клоню я к той простой мысли, что теперь вы избавлены от пренеприятнейшей процедуры развода. Ведь покойный не давал согласия на расторжение брака? — Глаза Сердюкова внимательно следили за лицом собеседницы, пытаясь уловить мельчайшие движения ее души.

— Да, но... Неужели вы хотите сказать, что это я убила мужа? Бог мой, если бы все жены так добивались развода, уж точно половина мужей лежала бы в могиле! Какая нелепость! — Она покраснела от досады и негодования. — Да, мы ссорились, но это не повод для убийства!

— Ради бога, успокойтесь, сударыня! Поймите, моя служба принуждает меня говорить людям малоприятные вещи! Я лишь констатировал очевидные, лежащие на поверхности факты. Ведь вы не откажетесь признать, что нынешнее ваше положение вдовы хоть и печально, однако для вас, желающей избавиться от супружеских уз, очень удобно. При том, что теперь вы ничего, ровным счетом ничего не теряете — ни доброго имени, ни состояния. Напротив, как наследница приобретаете весьма солидные деньги мужа и доходы от последующих изданий его романов.

— Да, ваши рассуждения верны. Все верно, кроме того, что я желала его смерти. Быть может, я произвожу впечатление легкомысленного существа, но посудите сами, если бы я замыслила его убить, то зачем делать свое участие в этом столь явным? Отсутствовала год и явилась, чтобы убить? Это нелепо! Зачем тогда было покидать дом, можно изобрести массу способов изничтожения ненавистного мужа, не привлекая к себе внимания! — Вдова вся трепетала.

Сердюков же, сохраняя совершенное спокойствие, выслушал ее с интересом. Разумеется, все правильно. Либо кто-то хочет, чтобы Извекова выглядела заинтересованной в смерти мужа, либо это изощренная хитрость, игра в простодушную невинность. Может, именно это лежащее на поверхности суждение и есть ответ? Или вовсе не вдова? Тогда кто? Дети? Но каков мотив? И все-таки привидение не шло из его головы.

— Да, конечно, я согласен. Подобное и мне

приходит в голову. Но вот что явно не подлежит моему разумению, так это история с призраком.

Извекова слегка успокоилась. Хорошо, что он сам спросил, иначе бы получилось, что мачеха пытается навести тень на падчерицу. Вот тогда он точно решит, что она тайно плела интриги с целью уничтожения и отца и дочери!

— После разговора на даче я долго думала и догадалась, откуда в сознании Веры мог возникнуть такой образ покойной матери, — и она рассказала полицейскому о старом фильме.

Некоторое время спустя, уже по прошествии пышных похорон знаменитого романиста, Сердюков привез в Петербург сторожа дачи Извековых. Герасим сильно робел и от страха не мог толком ничего сказать.

— Ты, вот что, голубчик, пойдешь нынче со мной в синематограф, — заявил Сердюков дворнику.

Тот оторопело уставился на следователя.

— Не пойму я вас, барин! К чему это?

— А к тому, что, если ты вдруг на экране увидишь нечто, тебе знакомое, ты мне скажешь. Как знать, откуда ниточка потянется? Ты раньше кино видел?

— Видал разок, чудно все! — оживился Герасим и хотел поделиться своими впечатлениями, но Сердюкову не было охоты слушать его разглагольствования.

Константин Митрофанович махнул рукой, и они направились в синематограф. Сердюкову повезло. Старые, почти забытые фильмы с участием

Горской уже не шли. Жизнь стремительно рождала новых кумиров, и они немилосердно вытесняли прежних знаменитостей из памяти поклонников. Однако в связи со смертью Извекова оживился интерес и к его первой жене. Снова замелькали афиши с ее портретами. Сердюков отыскал нужный ему фильм и привел туда Герасима. Вдвоем они смотрелись очень забавно. Высокий, худой, затянутый в форменный мундир следователь, и кряжистый, крепкий крестьянин, принарядившийся для похода в культурное заведение. В темноте кинозала Константин Митрофанович откровенно маялся. Нет сомнения, Горская прекрасная актриса и невероятно красивая женщина. Но мелодрамы оставляли его равнодушным. В зале послышались всхлипывания и вздохи. Даже приведенный им дворник заерзал на месте и что-то пробубнил себе под нос. Но вот на экране началось действие, ради которого и состоялась встреча Герасима с искусством кино.

Героиня Горской, перенесясь в потусторонний мир, является перед своим погубителем на пустынной дороге, во мраке ночи. Конь ржет, встает на дыбы. Дыбом встают и волосы героя при виде бывшей возлюбленной. Окутанная полупрозрачной вуалью, медленно, едва касаясь земли, она приближается, протягивает тонкие трепетные руки. Сквозь незримые складки вуали блестят огромные глаза, полные смертной тоски. Тапер чуть касается клавиш фортепиано. Звуки музыки то замирают, то усиливаются, приводя зрителей в неописуемый ужас, нагнетая напряжение. Единственный зритель в зале, которого не захватило жуткое зрелище, был, конечно, Сердюков. Он сидел вполоборота, стремясь уловить впечатления дворника. Тот побледнел, во мраке кинозала его лицо озарялось отблесками с экрана и приобрело мертвенно-бледный оттенок. Челюсть отвисла, глаза вылезли из орбит, грудь тяжело вздымалась. Так мог выглядеть насмерть перепуганный человек. Далее смотреть фильм не имело смысла, да и Герасим пребывал в состоянии, близком к умопомрачению. Поэтому следователь, несмотря на возмущенное шипение зрителей, поволок свою жертву к выходу, безжалостно пройдясь по ногам поклонников усопшей богини. Выйдя из темноты зала, они присели на скамеечку в скверике. Дворнику надобно было отдышаться и прийти в себя после увиденного.

— Ну, что скажешь? — спросил Константин Митрофанович, видя, что собеседник немного успокоился.

— Она это, ваше высокоблагородие, видит бог, она! — прошептал Герасим и перекрестился.

— Кто «она»? — на всякий случай уточнил следователь.

— Как кто? Барыня наша, Тамара Георгиевна! Я тотчас ее признал, уже в самом начале. Сижу, смотрю, захватило меня за душу! И тут явление привидения, точно как тогда на даче! Меня аж в пот всего кинуло от страха. Я все сумлевался, а вдруг у меня от пьянства видения начались? А теперь гляжу, нет, стало быть, оно уже тогда было, вот и в кино попало!

Сердюков с трудом удержался, чтобы не прыснуть от смеха. В голове у бедного дворника все перемешалось!

— Спасибо тебе, ты очень мне помог! Ступай, выпей на помин своей хозяйки, — и он сунул двугривенный в мозолистую руку. Тот покачал головой, поклонился и побрел прочь в величайшей задумчивости.

Глава 12

Мисс Томпсон, как доктор и обещал, скоро поправилась. Воспитательная миссия Оли Мироновой была завершена. Пришлось возвращаться домой. Оленьке очень не хотелось покидать Горскую и ее детей. Накануне отъезда Тамара Георгиевна, желая ободрить удрученную девушку, произнесла:

— Оленька, не расстраивайтесь! Ей-богу, не на всю же жизнь расстаемся. Закончатся съемки, закончится дачный сезон, и мы вернемся в Петербург! Ваш папенька очень по вас соскучился, поезжайте к нему.

— Да, разумеется, и я по нему скучаю, — вздохнула Оля. — Но так не хочется уезжать отсюда! Дома теперь очень тоскливо!

— А разве у вас нет поклонника, душевного друга, который бы развеял вашу хандру? — с лукавой улыбкой спросила Тамара Георгиевна.

Вера поведала матери о неком студенте, который, без сомнения, влюблен в барышню Миронову. Но сама девушка о нем не упоминала.

— Увы, есть один молодой человек, который себя таковым считает! — уныло ответила Оля. — Но он мне совсем не нравится!

— Что же в нем дурного? Он нехорош собой, или, может быть, глуп, или имеет плохие манеры? — допытывалась Горская.

— Вовсе нет. У него приятная наружность, и он совсем не глуп, это лучший папин ученик. Папа ценит его чрезвычайно. Трофимов, так его зовут, ухаживает за мной, и я всегда боюсь, что он вдруг вздумает объясниться, тогда выйдет нехорошо! Он милый, да только я не люблю его. — Говоря о Борисе, Оля совсем расстроилась.

Действительно, она задавала себе вопросы: почему ей не нравится Трофимов, почему она не хочет принять его ухаживаний? И не находила ответов. Совестно и неприятно, вот чувства, которые она испытывала при виде незадачливого воздыхателя.

— Послушайте, а что, если вам пригласить его сюда, к нам? Иногда посторонний глаз и добрый совет друга могут помочь. — Горская обняла свою юную приятельницу. — Не стесняйтесь меня, дорогая! Довольно часто человек, тем более молоденькая неопытная девушка, растущая без матери, не видит рядом своего счастья, своей судьбы.

— Хорошо, я подумаю, — снова вздохнула Ольга. — Спасибо вам, Тамара Георгиевна, за все, вы очень добры ко мне!

И они дружески расцеловались.

По приезде в Петербург Оля постоянно думала о последнем разговоре. Может, она и впрямь слепа и глупа? Однако приятно было представлять такую поездку, знакомство, прогулки, умные разговоры. Разумеется, привести Трофимова на дачу к Горской совершенно не стыдно. Молодой человек высок, статен, приятной наружности. Он не красавец, но выражение лица умное и живое. За содержание разговоров тоже можно не беспокоиться. Правда, существует серьезная опасность для собеседников оказаться втянутыми в обсуждение проблемы борьбы с эпидемиями, пьянством, бездействия столичной городской управы на поприще обустройства больниц, хронического безденежья и убогости земской медицины. Подобные материи скучны для женского уха, спору нет, однако ж, рассуждая на значимые для общества темы, Трофимов был застрахован от клейма легковесности, недалекости и необразованности. Вполне вероятно, что он может понравиться Горской. Общаясь с актрисой, Оля с удивлением обнаружила, что Тамара Георгиевна, выражаясь высоким штилем, болела душой за Отечество. Посему устраивала благотворительные вечера и концерты, помогала сирым и убогим. Одним словом, что же делать, если окажется, что Трофимов не так плох и вполне может выступать в роли жениха?

Оля снова и снова перебирала в памяти все встречи, разговоры, пусть даже мимолетные, с молодым человеком. Теперь каждый его взгляд, каждый жест, интонация голоса, костюм, шляпы, галстуки и ботинки — все подвергалось пересмотру.

Девушка уподобилась ученому-естествоиспытателю, который, вооружившись сильной лупой, пытается разглядеть в интересующем его объекте новые, доселе не обнаруженные качества и свойства. Постепенно, незаметно для себя она перестала думать о нем с прежним раздражением. Мысленно Оля уже приготовилась к великой перемене в своей душе. Если только богиня оценит кандидата благосклонно.

Время шло, но молодой человек не появлялся. Миронова была совершенно уверена, что, как только она переступит порог своей квартиры, он прибежит тотчас же. Пришлось сделать над собой усилие и поинтересоваться у отца, куда это запропастился его любимец, здоров ли он? Николай Алексеевич удивился внезапно проснувшемуся интересу дочери к несчастному воздыхателю.

— А что ему прикажешь делать у нас, коли всякий раз человеку дают от ворот поворот? — Доктор отложил «Новое время» и воззрился на дочь. — На что он тебе? Опять будешь его мучить? Ей-богу, дочка, мне совестно!

— Полно, папа, с чего ты решил, что я его мучаю? Он хороший товарищ, и я... я даже соскучилась! Он ведь у нас бывал постоянно, а теперь пропал. Пускай уж снова приходит!

И он пришел. Правда, прежний блеск в глазах потух. Трофимов был серьезен и даже как-то отстранен. Поздоровавшись, он отошел от девушки и, расположившись у окна, безучастно спросил:

— Вы хотели видеть меня, Ольга Николаевна?

— Да! То есть нет! — Ее явно озадачили перемены в старинном знакомом. — Борис Михайлович, а вы в последнее время совсем забыли к нам дорогу!

Она, улыбаясь, покачала головой. Борис же ответил без тени улыбки:

— К чему ходить в дом, где тебя не ждут?

Оле стало совсем неловко. Раньше Трофимов никогда не позволял себе ни жалоб, ни попреков. Довольствовался дружелюбным взглядом, прикосновением руки.

— Вы несправедливы, мой друг, я всегда рада вас видеть! — с излишним энтузиазмом произнесла Оля, и сразу почувствовала фальшивость своего высказывания.

Гость посмотрел на нее долгим внимательным взглядом и промолчал. Ситуация становилась глупой. В прежние времена Оля бы просто высмеяла его необоснованные претензии и выставила вон. Но теперь она не могла. В ее сознании уже произошел переворот, Борис стал казаться ей значимым и интересным. Трофимов, вероятно, тоже интуитивно почувствовал перемену в возлюбленной. Он тщетно силился понять, что происходит.

— Борис Михайлович, — мягко произнесла девушка, — давайте не будем ссориться. И в знак нашего сердечного расположения друг к другу я приглашаю вас составить мне компанию. Тамара Георгиевна Горская была так добра ко мне, что вновь пригласила к себе на дачу. Она сказала, — тут Оля приняла заговорщицкий вид, — что я могу приехать не одна, а вместе со своим... ммм... другом!

— Ах, вот оно что! — вскричал разъяренный Трофимов, вскакивая с места. — А я-то гадаю, что за чудесные перемены! Оказывается, все просто! Их величества, кумиры, соизволили заинтересоваться такой жалкой блохой, как я! Мне предложено пройти смотрины! А если результат испытаний будет положительным, что тогда? Вы разом прозреете и увидите глубину моих чувств, услышите мои мольбы, склоните к ним свой слух?

Оля опешила. Она не ожидала, что ее, как казалось, хитрая уловка будет так легко разоблачена. Но еще более ее поразил гнев Бориса. Как смеет он говорить с ней в подобном тоне?! Ольга уже собралась ответить нечто резкое, но собеседник ее опередил:

— Вероятно, я сильно разочаровал вас, нарушил ваши планы. Извините! Однако увольте меня от той жалкой роли, которую вы мне уготовили!

— Помилуйте, Борис! Вы неправильно меня поняли! — Оля попыталась оправдаться. — Никто не хотел вас обижать, наоборот, вам оказана большая честь, такое интересное знакомство...

— Это вам оно кажется интересным и важным, прошу прощения за свою резкость! Мне же эти люди безразличны и ничем не отличаются от всех прочих. Досадно, очень досадно, что вы, образованная, глубокая девушка, руководствуетесь чужим мнением, не понимая, что происходит вокруг вас!

Трофимов покраснел и весь дрожал. Он отвернулся к окну, чтобы Оля не видела, как к его глазам подступили слезы обиды и горечи.

— Стало быть, вы отказываетесь от поездки, сударь? — с нажимом спросила она.

— Я понимаю, что для меня значит этот отказ, и все же не поеду! Благодарю за приглашение! — Он сухо кивнул и быстро вышел вон.

В дверях он столкнулся с горничной, которая несла молодым людям поднос с чаем, вином и закуской. Та едва успела отскочить, и посуда чудом не полетела на пол.

— А чай? Барин!

— Не до чая, милая! — с отчаянием произнес Борис.

Горничная поставила угощение перед барышней и поспешила за дверь. Выражение лица молодой хозяйки не предвещало ничего хорошего. Оля сидела неподвижно и не могла поверить, что верный раб взбунтовался. Горская оказалась права, он интересный человек!

Глава 13

Ссора с Борисом оставила тягостное впечатление. В первый момент Ольга хотела бежать за ним, просить прощения, мириться. Ее грызли совесть и раскаяние. Однако она не выполнила своего намерения ни завтра, ни на следующий день. Потом же пыл раскаяния и вовсе остыл. Тем более что ее ум уже был занят другими переживаниями. Осенью на экраны вышел долгожданный фильм, на съемках которого присутствовала Миронова и в котором она даже приняла участие. В Петербурге у касс синематографа творилось нечто невообразимое. Публика штурмом брала кинозалы. После просмотра дамы выходили, комкая заплаканные носовые платочки. Их спутники качали головами:

— Да! Хороша! Черт побери, как хороша!

Торговцы бойко наживались на больших портретах всеобщей любимицы. Газетчики наперебой печатали интервью с актрисой. Правда, по большей части, выдуманные.

Горская почти не выходила из дому, не появлялась на публике и не встречалась с газетчиками. Съемки в фильме были ее последней работой. В театре она уже совсем не выступала, и прежние поклонники отчаялись увидеть свою любимицу живьем, на сцене, полюбоваться изящной грацией движений, услышать чарующий голос. Жестокая болезнь терзала ее неотступно. Теперь перед тем, как показаться постороннему взгляду, Тамаре Георгиевне часами приходилось просиживать перед зеркалом, пытаясь возродить покидавшую ее красоту. Оля, продолжавшая посещать сей дом на правах близкого друга, частенько заставала обожаемую небожительницу за этим невеселым занятием. И всякий раз девушка с трудом подавляла отчаяние и страх, наблюдая, как через слои румян и пудры неумолимо проступают признаки скорой кончины.

К зиме Горской стало совсем плохо. Однажды Оля увидела огромный старый рыдван, из которого под грозные окрики хозяйки прислуга споро выгружала поклажу. Агриппина Марковна переселилась к дочери, чтобы за домом был догляд, как она выразилась. Теперь в Олиной помощи не нуждались, и она почти перестала ходить в заветную квартиру. Зато доктор Миронов дневал и ночевал у постели больной. Каждый раз, когда он возвращался, дочь по его лицу пыталась понять, есть ли улучшения, загорится ли огонек надежды на выздоровление? Но с каждым днем Николай Алексеевич становился все мрачнее и мрачнее.

— Папа, неужели даже ты ничего не можешь поделать?

— Увы, девочка, иногда медицина бессильна! Многого мы еще не знаем в устройстве нашего организма, а тем более женского. Остается только уповать на Всевышнего, хотя я рук не опускаю, я не отступаюсь, мы еще поборемся!

Но по всему было видно, что на борьбу у Горской уже не осталось сил. Она не покидала квартиры, не принимала посетителей. Иногда Оля встречалась с детьми на улице, когда они брели на уроки под строгим присмотром мисс Томпсон. Мальчики сделались молчаливы и невеселы, а у Веры постоянно глаза были на мокром месте.

— Плохи, ошень плохи наши дела! — озабоченно гнусавила мисс Томпсон. — Тьяжелый женский болезнь мадам!

В роковую ночь Оля проснулась от треска телефонного аппарата. Потом послышался топот, отрывистые распоряжения отца. Девушка выскочила из своей комнаты в одной ночной рубашке. В передней Николай Алексеевич никак не мог попасть в рукав пальто, поданного заспанной горничной.

— Что, папочка, что? Ты к ней? — Оля даже не

чувствовала стужи пола, на котором стояла босыми ногами.

— Ступай в постель! Простынешь! — зарычал доктор. — Не хватало, чтобы и ты заболела!

Предчувствуя беду, Оля заплакала и бросилась к отцу.

— Ты ведь спасешь ее, правда, спасешь?

— Господи, помоги нам всем! — прошептал Миронов и бросился вон из квартиры.

После ухода отца Оля не пошла спать. Она пыталась молиться, но страх и неизвестность так пугали ее, что она никак не могла сосредоточиться. Наконец она решилась. Одевшись, выскользнула в темноту морозной ночи, пробежала вдоль фасада здания и поднялась в квартиру. Дверь отворила зареванная Вера.

— Увезли, только вот увезли! — простонала она, падая на руки Оли. — Доктор повез в больницу, сказал, что дома не сможет помочь. Открылось сильнейшее кровотечение. И папа поехал с ними!

Вера зарыдала с новой силой, и Оля потащила ее в комнату. В доме никто не спал. Мальчики затаились в детской. Агриппина Марковна замерла в кресле в гостиной. Вера после долгого плача изнемогла и на какое-то время затихла. Оля неслышными шагами покинула ее и хотела пойти к мальчикам, но тут ее перехватила старуха.

— Подите сюда, — резким голосом приказала она.

Оля подчинилась.

— Сядьте тут, рядом. — Горская-старшая указала скрюченным пальцем на кресло подле себя. —

Ожидание невыносимо, его невозможно переносить в одиночестве!

— Я побуду с вами, мне нетрудно, — тихо произнесла Оля, хотя сидеть рядом со злой старухой ей совсем не хотелось.

— Ваш отец превосходный врач, я знаю, но тут уж ничем не поможешь. Все во власти Божией!

Агриппина Марковна вяло перекрестилась и снова прикрыла глаза. Смотреть на окружающий мир ей было невмоготу.

— А я верю, верю в чудо! — громким шепотом произнесла девушка

— Так и я верю, деточка! Что же еще остается несчастной матери, когда гибнет ее единственное ненаглядное дитя, дорогая, бесценная девочка! Жизнь моя, мое сокровище! — неожиданно со страстным отчаянием простонала старуха.

Оля обомлела. Конечно, она знала, что Агриппина Марковна любит свою дочь. Но доселе ей не доводилось наблюдать прямых свидетельств этой любви, за исключением бесконечных злых наскоков и придирок.

— А знаете, ведь она была почти в вашем возрасте, когда к ней пришла сценическая слава, — снова заговорила старуха. — Муж мой к тому времени уже давно упокоился, иначе он ни за что не допустил бы подобного недостойного существования для девицы из порядочного семейства.

— Что же дурного в том, что Тамара Георгиевна стала великой актрисой? — изумилась Оля.

— Так это теперь она знаменитость, а тогда все было внове, незнакомо. Странные, бог знает какого звания и состояния люди. Да и нравы, знаете ли, слишком свободные у этой артистической публики. Очень я забоялась, когда она в театр поступила, но Тамарочка как закричит на меня: «Маменька! Это судьба моя! Это чудо, что меня взяли, ведь я мечтала о сцене! Если будете противиться, убегу!» Я тогда шибко подивилась. Какие такие мечтания? Правда, иногда я за ней замечала склонность к лицедейству. Ну, думаю, будь что будет, ведь я ее знаю, точно убежит, упрямая. Так на нее глянешь — мягкая и легкая. А ведь нет, упорная, своего добьется. Смотришь — прозрачная, а в душе — кремень!

Оля слушала рассказ старой женщины, затаив дыхание и боясь, что кто-нибудь войдет и перебьет воспоминания.

— Я с ней и на репетиции в театр ходила, а потом и на первые съемки, когда ее Огарков пригласил в кино. И на площадке — я все следом. А ведь она уже тогда была известная актриса, к тому же замужем да с детьми, мать семейства! Мне казалось, что вдруг кто обидит мою девочку, вдруг приключится нечто недостойное или неприличное! Огарков мне выговаривал, что я под ногами мешаюсь. Говорил, что и меня надобно в титрах указать как полноправного участника творческого процесса.

— А как же любовные сцены? — полюбопытствовала Оля, подавив невольную улыбку.

— Вот, вот! Именно их-то я и боялась более всего! Я же не глупая, знаю, что актеры целуются понарошку. Только с моей-то Тамарочкой каждый хотел облобызаться по-настоящему! А, вам смешно! — Старуха покачала головой. — Да и мне теперь смешны мои прежние страхи! Вон какой беды бояться надо!

Замолчали. Комната тонула во мраке ночи, лампу прикрутили почти до конца, она едва мерцала. Агриппина Марковна поежилась и спрятала костлявые руки в широких рукавах платья. В квартире было тепло, но внутренний холод охватил и Олю. Однако она не смела пошевелиться и спугнуть воспоминания старой женщины. Ведь, несмотря на приятельство, Горская никогда не рассказывала Оле о своем прошлом, о девичестве, о романе с Извековым. А именно это ужасно интересовало девушку. Как находят друг друга такие яркие личности?

— Знаю, знаю, о чем спросить хотите! Как состоялось знакомство Тамары и Вениамина? В театре все и произошло. Он тогда подвизался в написании пьес, да вроде неудачно. А Тамарочка, добрая душа, давайте, говорит, вместе посмотрим, может, я смогу вам помочь. И дело пошло! И как хорошо получилось, просто удивительно! Правда, с той поры драматургию он забросил, на романы переключился. Зато стал к нам частенько захаживать. А у нас тогда от женихов отбоя не было! Двери не закрывались, букеты цветов и корзины не знали, куда ставить, хоть цветочный магазин открывай! И какие, я вам скажу, женихи были!

Агриппина Марковна перечислила с десяток известнейших и богатейших фамилий, Миронова, пораженная, ахнула.

— Вот именно что! И после таких-то женихов выйти за эдакого... — Старуха осеклась. — Неприглядный он тогда был, невзрачный. Ни стати, ни взора, ни живости в речах. Про капитал я и не говорю!

— Но, вероятно, уже в ту пору был виден его талант? — робко предположила слушательница.

— Наверное, — вздохнула старая женщина, — иначе что же в нем нашла моя Тамара? Но только через какое-то время замечаю я, что она ни на кого не глядит, замкнулась в себе, а как придет Извеков — вся встрепенется, засветится. Сядут где-нибудь в уголке и воркуют. Чувствую, дело плохо. Так и есть, посватался! Я говорю дочери: «Он тебя ростом ниже, и красоты в нем нет никакой, совершенный заморыш, и денег нет, гол как сокол!» Она мне отвечает: «Это неважно, мама. Он очень скоро будет и богат, и знаменит, потому как необычайно талантлив! Но даже это не имеет значения, потому что я его люблю, и для меня он лучше всех! А если вы откажете нас благословить, так я все равно за него пойду, даже без вашего соизволения!» И глазами сверкает, дрожит. Я ей говорю: «Ты не на сцене сейчас, зрителей нет! Это жизнь твоя, судьбу выбираешь, подумай крепко!» Но уже тогда я знала, не отступится, вся в меня, уж если решит, то окончательно! Пришлось смириться. И поначалу неплохо жить начали. Дети родились. Вениамин в гору пошел. Я втайне раскаиваться стала, что невзлюбила зятя. Однако смотрю, Тамара все меньше и меньше выступать в театре стала. В гастроли без нее едут. Премьеры другим поручают. Оказывается, он не дозволял, стал злиться, что ее слава его затмевает! Особенно сердился, когда ее сниматься в кино пригласили. Дескать, ее роль теперь другая — матери и жены. Вот она, бедная, и начала метаться, ссоры пошли, разлады. А тут еще добавилась другая напасть...

Но дослушать рассказ не довелось. Затренькал входной звонок, раздались тяжелые шаги, на пороге появился Извеков. Его лицо посерело и выражало невыносимую муку. Навалившись на дверной косяк, он прохрипел:

— Все кончено! Нет моей Тамары! Ушла, покинула нас!

Агриппина Марковна ухнула, как старая сова, и откинулась в кресле. Оля заголосила и метнулась к детям. Тотчас же квартира наполнилась стоном и плачем. Вениамин Александрович постоял около тещи и поплелся, ссутулившись, в кабинет. Там он рухнул на стул и замер, охватив голову руками. Глянул на недописанные листки, лежащие перед ним, зарычал и смахнул все на пол. Катастрофа!

Глава 14

Матильда Карловна Бленнингельд принадлежала к породе особ, про которых говорят «горячая штучка». Редкий мужчина мог пройти мимо, не задержав плотоядного взора на пышной груди, ярких чувственных губах, крутых бедрах. При этом завистницы и злопыхатели из толпы отверженных поклонников утверждали, что в ней нет совершенно никакой красоты. Черты лица ее неправильны, шея коротка, ноги тоже. Манеры вульгарны, вкус отвратителен. Но отчего бросает в дрожь и вызывает томление ее вид, ее волнующий запах, никто объяснить не мог.

Матильда Карловна, или Мати, рано познала истинную цену своей притягательности. Ей было шестнадцать лет, когда папаша Бленнингельд, составивший капиталец на кредитных операциях, вдруг оказался на грани разорения. Перед семейством замаячил призрак позора и нищеты. Уже толкались в кабинете отца кредиторы, уже приходили оценивать имущество. Карл Бленнингельд впал в отчаяние, когда вдруг забрезжила надежда. Она пришла в лице старого банкира Бархатова. Бархатов слыл богачом и сластолюбцем, несмотря на свои седины и взрослого сына. Он предложил должнику, как тому казалось, выгодную сделку. Выкуп векселей за... брак с юной Матильдой.

— Звали, папенька? — Позевывая, девушка вошла к папаше, натягивая кружевной пеньюар на высокий бюст.

— Опять спишь до полудня! — раздраженно проговорил отец, но вовремя опомнился и сменил тон. — Хочу с тобой поговорить. Кажется, судьба смилостивилась над нами!

— Вы нашли клад или кредиторы разом померли? — съязвила дочь.

— Ты напрасно мне дерзишь! Ведь дело касается именно тебя! Твоей руки просит очень состоятельный человек, и он же поможет в решении наших финансовых проблем!

Мати встрепенулась. Природа наделила ее практичным складом ума и трезвостью мышления. Богатый жених — это интересно!

— Не томите, папаша! Кто же наш таинственный спаситель? — Она вся зарделась от волнения.

Бленнингельд посопел, выждал паузу и торжественно произнес:

— Сам Бархатов тебя сватает!

Матильда зажмурилась от удовольствия, как кошечка. Юрий Бархатов, известный красавец и франт, наследник огромного состояния! Какая удача!

— Однако ты, вероятно, не поняла меня, Мати! — окликнул ее отец. — Сам Бархатов, а не его сын!

— Как! — ахнула разочарованная барышня. — Но ведь он уже старик совсем, отвратительный старик!

— Что за беда? — пожал плечами папаша. — Ну, помаешься годик-другой, а там, глядишь, супруг и преставится. А зато какое наследство тебе достанется! К тому времени и мои дела совершенно поправятся!

— Вот в чем дело! — заверещала девица. — Меня продаете за свои долги! Не пойду за старого, не пойду!

Отец выждал, пока не замолк последний истошный вопль, и зло произнес:

— Не пойдешь за старого банкира? Тогда пойдешь на улицу! Дом продадут, имущество пойдет с молотка. Мы с матерью твоей на улице окажемся, будем побираться на старости лет. А тебя кто-нибудь из старых дев — тетушек подберет в приживалки, то-то веселая жизнь начнется! И все из-за чего? Каприза женского! Глупости! Слюнтяйства! Будь же разумна!

Но дочь не желала его слушать и стремительно выбежала из комнаты. Она бросилась за утешением к матери. Мадам Бленнингельд выслушала новость с философским спокойствием и изрекла:

— Твой отец прав, Бархатов уже в солидных летах, долго не проживет. А ты потом богатой вдовой выберешь себе кого пожелаешь, а можешь и вовсе замуж не ходить и жить в свое удовольствие! — Она вздохнула. Не ее ли потаенная мечта выразилась в последних словах?

— Маменька! Что вы такое говорите? Это омерзительно! Как же я стану жить со стариком?

— А кто тебе мешает разбавить стариковские утехи более приятным времяпрепровождением? — пожала плечами добродетельная матрона. — С твоей-то внешностью от поклонников отбоя не будет!

— Сдается мне, что вы, мамаша, знаете не понаслышке, о чем говорите! — с раздражением парировала почтительная дочь.

— Ты напрасно сердишься на меня, — вздохнула мать и поглядела на себя в зеркало. Оттуда на нее смотрела усатая пожилая женщина в замусоленном домашнем чепце. — Если бы в твои годы я была столь же притягательна для мужчин, как ты, я никогда бы не оказалась замужем за твоим папашей. Никогда не позволила бы командовать, измываться над собой. Они бы все падали ниц передо мной или скакали на задних лапках!

Матильда с грустным изумлением выслушала откровения своей матери. Она давно подозревала, что родители не любят друг друга. Это наводило ее на невеселые размышления о любви и браке.

День прошел в напряженном размышлении. Ласки старца отвратительны, но еще более отвратительна нищета. Разом лишиться богатого и уютного дома, проворной и угодливой прислуги, собственного выезда. Вместо этого ютиться в комнатушке грязного доходного дома, толкаться в многолюдной конке, выслушивая сальные шутки пролетариев. Но это еще полбеды. А как отказаться от роскошных платьев, дорогого тонкого белья, шелковых чулок, духов, украшений, изящных туфель, мягких пушистых шуб! Матильда тотчас же вспомнила унылые серые лица работниц в ситцевых платочках, мещаночек в скромных заношенных платьях, запуганных и униженных гувернанток с поджатыми губами, бойких, но отталкивающе вульгарных приказчиц в магазинах. И это теперь будет и ее удел? Она знавала подобные печальные истории. Нет, невозможно, невыносимо. А может, старичок окажется не столь противен? И к тому же сынок его так хорош...

Владимир Анисимович Бархатов, как себя ни тешила надеждой Матильда, оказался все-таки очень неприятным стариком. Росту невысокого, как раз по грудь молодой жене, юркий, подвижный. На голове остатки прежней шевелюры в виде седых клочьев. Он напомнил девушке некую птицу, виденную в зоологическом саду. Глаза пытливые, пронзительные, взгляд жесткий, колкий. Губы тянулись тонкой, едва заметной полоской и складывались в змеиную улыбку.

— Я счастлив, неизмеримо счастлив, драгоценная Матильда Карловна, что вы приняли мое предложение! Считаю дни до того мгновения, когда вы переступите порог моего дома законной хозяйкой! Позвольте облобызать вас, дорогая невеста, чувства переполняют мою душу! — Речь была произнесена с соответствующими всхлипами, закатыванием глаз и придыханием.

Мати растянула губки в резиновой улыбке, и тотчас же последовал поцелуй жениха, от которого она вся содрогнулась. Как же ей поступить, если невозможно сразу же стереть с губ его слюнявое прикосновение? Она побоялась, что ее стошнит, и, отговорившись необходимостью отдать приказания прислуге, поспешила вон.

Счастливый жених и благородный отец в приподнятом настроении направились в кабинет для обсуждения деловой стороны брачного союза. Мадам Бленнингельд нашла свою дочь в ванной. Матильда уже тысячу раз смыла водой поцелуй жениха, а отвращение только нарастало. Мамаша уныло покачала головой и хотела обнять свое строптивое дитя. Но Матильда резко оттолкнула ее. Мадам с изумлением вглядывалась в лицо девушки. Циничное выражение, застывшее в глазах дочери, испугало ее.

Глава 15

Следователь Сердюков задумчиво прохаживался по кабинету. Его служебный кабинет был под стать хозяину. Такой же длинный и узкий. Длины кабинета хватало всего на несколько огромных шагов хозяина. Потом приходилось делать резкий поворот и, обогнув угол стола, двигаться в обратном направлении.

— Все ходит? — спросил за дверью один из полицейских.

— Ходит, уже, поди, целый час! Наверное, весь Невский пробежал! — усмехнулся другой.

Коллеги знали за Сердюковым много странностей. Он был нелюдим, не очень разговорчив, жил одиноко, женщин сторонился, никогда никого к себе не приглашал, да и сам в гости не ходил. От дружеских пирушек уклонялся, и все больше горел на работе.

— Ишь ты, днюет и ночует в своем кабинете, видать, выслужиться хочет перед начальством, — злопыхали ему в спину.

И хотя начальство и впрямь ценило его добросовестное рвение, особых наград и высоких должностей он до сих пор так и не получил. В глубине души Константин Митрофанович переживал по данному поводу чрезвычайно, но считал ниже своего достоинства напоминать начальникам о своих добродетелях, ожидая, пока его в конце концов заметят и оценят. Однако многие менее ретивые сотрудники уже давно обогнали Сердюкова по служебной лестнице, а о нем точно забыли.

Но не о чинах и званиях размышлял следователь, вышагивая версты по своему кабинету. Таинственное привидение не покидало его сознания. Существует ли оно на самом деле? Если существует, значит, это нечто вполне материальное, видимое, осязаемое. И если оно являлось двум столь разным людям, то почему бы и Сердюкову не повстречаться с ним? Или с ней? Хотелось бы побольше узнать о природе таких явлений, чтобы понимать, с чем имеешь дело. Что ж, придется нанести визит знающему человеку.

Этим знатоком оказался некто Сухневич. О нем Сердюкову было известно, что сей господин является единственным и непревзойденным знатоком природы призраков во всем Петербурге, да и не только в столице. Сухневич специально много лет провел в Англии, где что ни старый дом, то с привидениями. Исколесил Германию, Испанию, Францию, собирая бесчисленные свидетельства таинственных встреч. Он зарылся в пыльные фолианты, извлекая оттуда бесценные сведения. Так Сухневич провел много лет, и вот теперь, уже будучи в почтенном возрасте, вернулся на родину и поселился в кособоком домишке на Васильевском острове. Он вел замкнутый образ жизни, общаясь только с теми, кто истово верил в контакты с потусторонним миром. Его иногда приглашали на спиритические сеансы или спрашивали совета как величайшего знатока в особо сложных случаях, связанных с явлением призраков. Именно таким случаем и оказалось дело, которое вел Сердюков.

Поэтому на его просьбу о свидании было получено вежливое приглашение для личной встречи.

Сердюков долго не знал, докладывать начальству о своем визите или нет. Памятуя давнишнее дело об убийстве промышленника Прозорова и всех странностях, с которыми он тогда столкнулся, Сердюков очень боялся выглядеть смешным, или еще хуже — чокнутым. Поэтому по зрелом размышлении он решил с докладом повременить.

Дом Сухневича следователь нашел не сразу, изрядно поплутав по грязным мостовым. Дверь открыла непонятного возраста женщина, наверное, прислуга, закутанная в нечто бесформенное — то ли платок, то ли широкое платье, — в сумеречной прихожей не разобрать. Сумерки царили во всем доме, хотя за окном стоял белый день. Гостя провели в небольшую комнату и попросили подождать. Полицейский опытным взором окинул жилище. Да, видать, занятие привидениями давало мало дохода, так как бедность, неустроенность и запустение смотрели изо всех углов.

— Не нравятся вам мои апартаменты? — раздался негромкий насмешливый голос.

Следователь обернулся. Сухневич оказался среднего роста, неброским на вид мужчиной, наряженным в домашний халат. Он щурил на гостя подслеповатые глаза и приветливо улыбался.

— Каждый живет, как считает нужным и возможным, — пожал плечами следователь.

Его собственное холостяцкое жилье не намного отличалось от этого.

— Согласен с вами, сударь. Тем более что всех богатств земных при жизни не соберешь, так зачем жизнь разменивать на пустяки? Впрочем, позвольте представиться.

Они познакомились. После чего хозяин предложил гостю чаю, но тот, представив, что чай, вероятно, будет готовиться руками особы, открывшей дверь, благоразумно отказался.

— Вы сказали, что не простое любопытство, а расследование важного уголовного дела привело вас сюда? — спросил Сухневич.

— Да, разумеется. Иначе я бы не посмел беспокоить вас по пустякам, — кивнул следователь.

— По пустякам я бы вас и не принял, — мягко улыбнулся хозяин, но улыбка его оказалась холодноватой. — Знаете ли, нынче мода на все потустороннее, непонятное, таинственное. Люди от скуки и от нечего делать пытаются вторгаться в такие сферы, которые им совсем неведомы или даже опасны. Я много времени и сил отдал изучению природы призраков и пришел к пониманию... ммм... нашего полного непонимания этого явления.

— Вот те раз! — Следователь прямо подскочил на стуле. — А я-то рассчитывал на вашу помощь.

— Да вы погодите, не расстраивайтесь заранее. Вы сначала мне подробно опишите все, что было, а потом мы решим, как к этому делу подступиться.

Сухневич откинулся на спинку стула и даже прикрыл глаза, словно от удовольствия. Сердюков подробно и обстоятельно описал все, что касалось явления призрака. Упомянул он и о просмотре фильма. Хозяин выслушал рассказ, не перебивая, только иногда качая головой, словно находя подтверждение неким своим соображениям.

— Видите ли, сударь, наличие такого явления как привидение нуждается в очень глубоком осмыслении. Вероятно, наше современное знание еще так ничтожно, что понять многие вещи наш разум пока не в состоянии. Однако, несмотря на вышесказанное, кое-что можно систематизировать. И, как учили нас великие, на основе систематизации мы можем узреть некие закономерности. Впрочем, я не спросил вас, готовы ли вы потратить некоторое время, дабы выслушать рассуждения о подобных материях?

— Разумеется, готов, ведь я для этого и пришел! — воскликнул следователь, хотя по всему видно было, что «некоторое время» предполагается быть весьма длительным.

— Что ж, — с удовлетворением произнес Сухневич, — тогда я представлю вам краткое изложение моих изысканий на сей счет.

Последующие рассуждения господина Сухневича и впрямь оказались весьма пространными, но чрезвычайно занимательными даже для такого заядлого рационалиста, каковым считал себя Сердюков. Позже Сухневич был столь любезен, что изложил свою лекцию в виде небольшой суховатой записки. Впрочем, литературная сторона вопроса следователя волновала мало, а содержательная его вполне устроила.

ЗАПИСКА О СУЩНОСТИ ПРИЗРАКОВ

(Составлена Аполлинарием Сухневичем по личной просьбе следователя полиции г-на Сердюкова)

1. Первый клуб искателей привидений появился в Англии в 1665 году. В 1882 году возникает английская организация под названием «Общество психических исследований» для тщательного научного изучения данного явления. Члены общества опрашивали свидетелей, разыскивали письменные показания.

2. На основании собранных сведений можно сделать следующие выводы. Наибольшее количество свидетельств, а им несть числа, приходится на английское королевство, за ним следуют замки Луары. Излюбленное место призраков — королевские резиденции и темницы. Так, весьма многочисленными являются призраки Тауэра. В его мрачных помещениях, коридорах, подвалах, лестницах были замечены сэр Томас Мор, обезглавленный за вольнодумство, известный пират и искусный поэт сэр Уолтер Рейли, юные принцы-племянники, убитые своим коварным дядюшкой Ричардом III, граф Эссекс, поплатившийся жизнью за любовь к королеве Елизавете. Привидения также поселяются в старых домах, сараях, замках, горах, лесах и на кладбищах. Наиболее часто бывают замечены в монастырях, церквях и домах священников. Старинный, тринадцатого века постройки, Чингл-Холл в графстве Ланкашир, самый старый кирпичный дом в Англии, известен тем, что по его комнатам уже несколько веков бродит призрак монаха Джона

Уола. Его шаги слышны по всему дому, хотя деревянные полы покрыты мягкими пушистыми коврами. Бывшее поле битвы может стать местом обитания душ погибших воинов. До сих пор горестные стоны рыцарей-тевтонцев, бряцание оружия оглашают поле, где произошла Грюнвальдская битва. Над Ватерлоо окрестные жители слышат орудийные залпы. Иногда призраками являются утонувшие корабли («Летучий голландец»), появляющиеся в страшную бурю перед ошалевшими от ужаса моряками, исчезнувшие поезда, уносящие в небытие своих невидимых пассажиров, которые никогда не прибудут на станцию назначения. По проселочным дорогам британского местечка Плакли со скрипом колес и стуком копыт разъезжает призрачная карета, запряженная четверкой лошадей.

3. Чаще всего привидениями становятся коронованные особы, члены их семейств, возлюбленные и недруги. Супруга герцога Генриха Орлеанского и поныне ждет своего мужа, убитого монахом-бенедиктинцем. Архиепископ Кентерберийский, убитый по приказу Генриха II, являлся своим палачам. Однако большая часть привидений — это особы, умершие тайной, непонятной смертью, подвергшиеся насилию, жертвы несчастной любви или мести. Отравленный муж, замурованные в стену любовники, утопившаяся отвергнутая возлюбленная, сожженная ведьма. В английском монастыре Борли мается призрак Серой монашки Мэри. В тринадцатом веке она и ее возлюбленный монах-бенедиктинец пытались бежать, но были схвачены. Молодой человек был повешен, а девушку замуро-

вали в стене монастыря. Для чего они являются? Видимо, их души не находят покоя, они жаждут любви, сострадания, возмездия.

4. Появление привидений сопровождается внезапным резким похолоданием в помещении. Чаще всего они возникают ночью, в плохую погоду, в грозу. Иногда приносят с собой разрушения, двигают предметы, крушат мебель. Такое явление зовется полтергейстом. А еще они гремят и звенят, охают и стонут, смеются зловещим смехом, оставляют после себя кровавые пятна и непонятные следы. В некоторых случаях им сопутствует туман или резкий неприятный запах.

5. Какого вида призраки чаще всего встречаются? В основном они являются в одежде своей эпохи, иногда закутанные в погребальный саван. Самыми неприятными были привидения античности. Они отличались буйным нравом, отвратительной внешностью, гнусным запахом и притом грязно сквернословили. Изредка попадаются привидения-волки, псы, коты, медведи и прочие твари. Подчас облик их столь неясен, что невозможно разобрать, что таит в себе колеблющаяся полупрозрачная фигура, уподобившаяся облаку. Случается явление отдельных частей тела, отрубленных голов, рук или безголовых туловищ. Так, жена короля Генриха VIII Анна Болейн возникает в уже упомянутом Тауэре в шелковом платье и с отрубленной головой под мышкой.

6. Итак, для чего же все-таки являются призраки? Всякий имеет свою цель. Древнеегипетское злое и жестокое привидение Кху с головой ибиса

насылало на людей и животных страшные болезни и несчастья. Призрак Юлия Цезаря навестил своего убийцу Брута не только для того, чтобы напугать его до смерти, но и чтобы предсказать ему поражение в битве и самоубийство. Именно вестниками смерти чаще всего выступают страшные незваные гости из потустороннего мира. Хотя известны случаи, когда привидения оберегали своих любимых и близких от бед. Иногда они помогали разбогатеть. Известен случай в Манчестере. На месте здания восемнадцатого века было построено жилище для рабочих. Но бывшая хозяйка дома Ханна Бесвик все бродила по комнатам в поисках закопанных сокровищ и тревожила покой новых обитателей, пока наконец один из жильцов не отковырял кусок стены, у которой чаще всего видели призрак. Там обнаружился кувшин с золотом. Но все же призраки не отдают и охраняют свое богатство, а те, кто покушается на их добро, платят за это жизнью или рассудком. Порой привидения пытаются показать живым место своей смерти, его причины или убийцу. Белая всадница из Риддлсден-Холла все витает вокруг озера, куда напуганная лошадь скинула несчастную наездницу, и никто потом не нашел ее тело. В редких случаях удается понять поведение непрошеных гостей. Если пожелают, они отвечают на вопросы медиумов, говорят со своими живыми родственниками, но это происходит чрезвычайно редко. Их действия и поступки покрыты мраком, как мрачен и тот мир, откуда они приходят.

7. Подавляющее большинство описанных слу-

чаев происходило за пределами Российской империи. Собственно российских привидений известно немного. Одни приходят из времен Ивана Грозного и Петра I, другие — из более поздних эпох. Так, по Москве долгое время гуляли рассказы о призраке чернокнижника Якова Брюса, который обитал в Сухаревой башне. В подземелье Гатчинского дворца иногда встречается дух убиенного императора Павла. Призраки простых особ не столь распространенное явление, как в Англии, но тоже случаются. Отчего наши просторы не так притягательны для пришельцев из потустороннего мира? Видимо, все дело тут в насыщенности мистического пространства другими существами, как то лешими, кикиморами, домовыми, русалками, чертями, ведьмами и прочими.

8. Самым сложным и неразрешимым на данный момент остается вопрос о сущности данного явления. Являются ли они подлинными пришельцами из потустороннего мира? Слугами добра или зла? В какой степени живые люди могут пытаться вступить в контакт с призраками? И может ли живой человек последовать в их мир для познания мироздания? На эти вопросы пока нет ответов.

Посетив нового знакомого через неделю, Сердюков вновь попытался приблизиться к пониманию сущности загадочного явления.

— Надо признать, предмет ваших исследований заинтересовал меня чрезвычайно, хотя я очень далек от мира мистики. Убийцы, насильники, воры и мошенники — тут все очень приземленно. Хотя тайн тоже предостаточно. Вот и в данном деле я скорее склонен видеть некую мистификацию, страшный розыгрыш. Правда, не исключается и нечто другое. Поэтому я и решился попросить вас о помощи, как раз на тот случай, если это выходит за рамки материального и рассудочного восприятия жизни.

— Понимаю вас, господин следователь, и помогу с большой охотой, — живо отозвался Сухневич. — Тем более что у меня имеются особые для того причины.

— Причины? — удивился Сердюков.

— Видите ли, — засмущался собеседник, — вам это покажется чрезвычайно странным, но за все годы, которые я посвятил изучению призраков, — он замялся и покраснел, — собственными глазами я не видел ни одного! Нет, то есть, конечно, я наблюдал разные косвенные признаки их присутствия, особенно на спиритических сеансах, но так, чтобы в чистом, как говорится, виде...

— Да... — разочарованно протянул Сердюков.

— Увы! Вы же теперь знаете, что они предпочитают старинные дома, а то и королевские замки. А ведь это, выражаясь юридическим языком, частная собственность. Не всякого туда пустят. Да и не каждый день они появляются. Удавалось мне ночевать в нескольких местах, где они показывались, но удача обошла меня стороной! Если вы позволите мне помочь вам в этом деле, быть может, и мне повезет, я наконец узрю объект своих изысканий.

И чем черт не шутит, не исключено, что разгадаю его природу!

От таких перспектив Сухневич необычайно воодушевился. Сердюков же проклинал себя за легкомыслие. Почему он первым делом не удосужился спросить специалиста по призракам о личном опыте общения с потусторонним миром?

Глава 16

После пышных и трогательных похорон несравненной Тамары Горской прошло уже почти полгода. Она упокоилась на кладбище Новодевичьего монастыря, что на Забалканском проспекте. Оля поначалу приходила на могилу почти каждую неделю, чаще всего с осиротевшими детьми, а то и вовсе одна. Потихоньку боль потери стала стихать, но не отступала. Оля дивилась сама себе, ведь утрата родной и любимой матери не так опустошила ее, как смерть кумира. Жизнь продолжалась, но стала какой-то блеклой, неинтересной. Девушка всерьез задумывалась о каком-либо занятии для себя и все более склонялась к мысли выучиться на фельдшерицу и помогать отцу. Доктор Миронов после смерти знаменитой пациентки тоже долго не мог прийти в себя, хотя весь его опыт подсказывал, что в данном случае медицина была абсолютна бессильна. Он по-прежнему лечил детей Извекова, но они подросли и почти перестали болеть. Визиты доктора становились все реже. Реже бывала в дорогой ей квартире и Оля. Иногда она, как и раньше, прогуливалась с Верой, но та после смерти матери стала совсем непереносима. В доме правила мисс Томпсон, но это, похоже, совсем не радовало гувернантку.

— Теперь ошьень плохо в дом, мисс, ошьень холодно. Нет мадам, нет лубов! — вздыхая, сетовала она при встрече с Мироновой.

Однажды, а дело было в конце лета, Оля снова навестила могилу Горской, на сей раз одна. Ее уже не удивляло, что последнее пристанище любимой актрисы всегда в цветах. Девушка была не одинока в почитании памяти «царицы Тамары». Сюда приходили многие, иные из любопытства — посмотреть на знаменитого вдовца, несчастных сирот и долго потом обсуждать увиденное. Именно это последнее обстоятельство мешало Извекову приходить на могилу жены так часто, как он бы хотел. Порой приходилось спасаться бегством от экзальтированных дам, желающих одновременно оплакать угасшую звезду и получить автограф безутешного вдовца.

В тот день Вениамин Александрович отправился на кладбище, потому что уже не посещал усопшую жену неприлично долго. У могилы он увидел маленькую фигурку и поначалу рассердился, но, приблизившись, облегченно вздохнул:

— Это вы, Оленька? Слава богу, а я подумал, что снова посторонние! Неприятно, знаете ли, горевать на людях, точно на сценических подмостках играешь роль безутешного вдовца! — Он поклонился и поцеловал ей руку.

Девушка поспешно поднялась со скамейки.

— Конечно, Вениамин Александрович, я вас понимаю! — И она заторопилась уходить.

— Оля, не спешите. К вам мои слова не относятся! Вы же не посторонний нашей семье человек.

— Нет-нет, мне неловко вам мешать! Да я, собственно, уже собиралась уходить.

— Тогда подождите меня за оградой. У меня экипаж, я отвезу вас домой, — предложил Извеков.

Оля согласно кивнула и медленно двинулась по дорожке. Ей очень хотелось оглянуться, посмотреть на знаменитого вдовца. Стоит ли он на коленях, плачет, поправляет цветы? На похоронах он был явно не в себе. Не мог говорить у могилы, суетился во время похорон, раздражался на детей, плакал. Словом, не походил сам на себя. Это и понятно, такая потеря! Оля даже приостановилась, но потом устыдилась и быстро двинулась прочь с кладбища.

Извеков пришел через полчаса, и они поехали домой.

— Вы совсем перестали бывать у нас, — грустно заметил Вениамин Александрович.

Оля не нашлась, что ответить, и только вздохнула.

— Нет уж, милая, вы не вздыхайте, а вот сейчас и пойдемте!

— Прямо сейчас? — изумилась Оля.

— Да, именно теперь! Я настаиваю!

— Но...

— Никаких «но»! — сердито прокричал Извеков и уже совсем другим тоном добавил: — Вы были дружны с Тамарой, а мне дорого все, что с ней связано!

Экипаж приблизился к дому, Извеков подал девушке руку. Положив свою ладошку в его раскрытую ладонь, она почувствовала его теплоту, пульсацию крови и вздрогнула. По ее представлениям, рука безутешного вдовца должна была источать могильный холод. Поднялись в квартиру. Электрический звонок разнесся по безлюдным комнатам.

— Как, никого нет?! — в смятении воскликнула девушка. — А где же дети, где мисс Томпсон?

— Право, вы не поверите, но я, ей-богу, не знаю! — обескураженно пожал плечами хозяин дома. — Впрочем, это теперь частенько происходит. Да вы не стесняйтесь, не стойте на пороге, проходите и располагайтесь, где вам захочется!

Вениамин Александрович взял Олю под локоток и подвел к креслу в гостиной. Заходящее вечернее солнце последними лучами скользило по паркету, словно ища что-то. Оля остановилась посреди комнаты, ощущая волнующие токи прикосновения Извекова.

— Непонятна мне ваша робость, Ольга Николаевна! Ну, что с того, что мы одни? Дети, вероятно, уж скоро придут!

— Доселе такого не случалось, — продолжая испытывать неловкость, пробормотала девушка. — Впрочем, что вы имели в виду, говоря, что это теперь часто с вами происходит? — спросила она, чтобы переменить тему беседы.

— А! — печально протянул Вениамин Александрович. — Это, знаете ли, неудобно даже и объяснять. Раньше, при жизни Тамарочки, я и не ведал, что творится за дверями моего кабинета. Дети росли, как мне казалось, сами по себе, само по себе велось хозяйство, заказывался обед, оплачивались счета, прислуга выполняла свои обязанности тоже вроде бы без особого надзору. Словом, я был избавлен ровным счетом от всех суетных забот. Только творчество было моей епархией. Милая, дорогая жена старалась уберечь мою жизнь от приземленного бытия, чтобы я мог свободно парить в небесных высях! А нынче что делается? Чуть свет — под дверями крик, мальчики дерутся, разнимай, выясняй. Одному подзатыльник, другого в угол, оба в слезах, да и я тоже! Вера меня мучает, все требует внимания, придет в кабинет и сидит, или плакать без причины начнет, или нарядов несусветных требовать. Приходит тут как-то мисс Томпсон, пунцовая вся, и докладывает, что дочь моя уже не ребенок, ей полагается иное белье, надобно заказывать лифы, корсеты, панталоны и прочее. Я ей, мол, возьмите сколько надобно денег и закажите все, что считаете необходимым. Что я смыслю в подобных деликатных материях? Она же мне отвечает: если бы у девочки была мать, то они непременно поехали бы вместе выбирать да примерять, это же целое событие, покупка нового белья и гардероба! Отец же, то есть я, мало уделяет дочери внимания. Она тоскует, дуется, капризничает. Пришлось убивать время, сопровождать их обеих по лавкам и магазинам. К сожалению, гувернантка наша права, и для Веры это был настоящий праздник! Она давно не выглядела такой веселой!

А прислуга! Если бы вы знали, какая морока заказать обед, да чтобы оказалось съедобно! Рассчитаться с прислугой, да ничего не забыть, где вычесть, а где прибавить, заставить их работать засучив рукава! Ведь весь дом кувырком! Везде хаос и беспорядок! Приходится вникать в каждую мелочь, в каждый пустяк! Считать каждую копейку, иначе оберут до нитки! А счета, бог мой, домашняя бухгалтерия — это кромешный ад! Деньги уплывают черт знает куда! Словом, жизнь моя превратилась в сплошной кошмар, бывает, что иногда по нескольку дней я не переступаю порога кабинета, не беру пера! А ведь для художника это болото, медленное умирание!

Вениамин Александрович расстроенно махнул рукой. Оля не заметила, как перестала смущаться. Она ловила каждое слово Извекова и недоумевала.

— Вы, Вениамин Александрович, оттого в таком состоянии пребываете, что, как говорится, упали с небес да на землю. Когда мы с папенькой осиротели, в нашем доме мало что изменилось из того, что относится к хозяйству.

— Ваш отец замечательный человек и талантливый доктор. Его профессия понуждает его к порядку и дисциплине везде и всегда. Да и вы уже вполне взрослый человек, можете сами вести домашнее хозяйство, в отличие от моей Веры, которая еще долго будет ребенком.

От разговоров Извеков разволновался, впал в раздраженный тон, лицо его покраснело. Оле опять стало неуютно. К чему этот рассказ? Как странно слышать жалобы подобного рода от кумира читающего Петербурга!

Вениамин Александрович словно угадал ее мысли:

— Вам, наверное, кажутся нелепыми мои стенания. Но ведь вы близкий нам человек, вам можно говорить о сокровенном. Вы были Тамаре подругой, нет, скорее сестрой. Я знаю, она любила вас, вы не должны нас покидать!

— Но я... — Оля хотела сказать, что и не собиралась оставлять дружбы с семейством, просто из деликатности не хотела навязывать свое присутствие.

— Знаю, знаю, что вы хотите сказать! Дружеское участие и все такое. Нет, этого недостаточно, чтобы разогнать мою тоску! Пустота, кругом пустота: в доме! В душе! Как страшно, когда уходит любовь, а ведь она потихоньку исчезает. Сегодня я уже не могу припомнить черт любимого лица, завтра — звука голоса или шагов. Господи, как это мучительно!

— Но разве любовь не живет вместе с памятью? — чуть слышно пролепетала Оля, потрясенная его неожиданным страстным откровением.

— Да, память сохраняет образ прежних чувств, но человек так устроен, что живое тянется к живому. Плоть жаждет плоти, и одно не противоречит другому, иначе бы и жизнь остановилась.

Оля замерла. Извеков смотрел ей прямо в глаза, не моргая. Они стояли почти рядом, их разделяло несколько шагов. Ее затрясло. Сострадание, которое она только что испытывала, исчезло, уступив место другому чувству. Девушка не знала его прежде, но поняла тотчас же, что это. Страсть, чувственная страсть охватила ее с ног до головы. В этот миг она жаждала только одного — чтобы его губы прикоснулись к ней. И он поцеловал ее так, что закружилась голова. Ноги стали ватными, она уподобилась тряпичной кукле в опытных руках кукловода.

На полированной крышке беккеровского рояля в изящном обрамлении стоял портрет покойной хозяйки дома. Чуть улыбаясь, Горская взирала на мужа, исступленно сжимающего в объятиях молодую девушку.

Глава 17

Молодой Бархатов в величайшем возбуждении примчался спозаранок к своей матери. Достойная родительница, разведясь с Бархатовым-старшим, сочеталась вторичным браком, но сына своего оберегала от невзгод, помогая советом и деньгами.

— Ты что как угорелый, я только с постели, — недовольно произнесла мать, зевая во весь рот.

— Да неужто я могу спать, узнав такую новость! — выпалил Юрий, трясясь как в лихорадке, и поспешно приложился к подставленной для поцелуя щеке.

— Ты о чем? Думаешь удивить меня рассказом о женитьбе твоего папаши, старого сатира, на юной нимфе? — Она снова зевнула и небрежно махнула рукой. — Полно, дружок, это не новость! Я уже знала, чем дело кончится, как только жадный и отвратительный Бленнингельд попал в паутину долгов к Бархатову.

— Но это аморально, некрасиво, неприлично! — продолжал горячиться молодой человек.

— Разве? — Мамаша делано удивилась. — Подобные, с позволения сказать, браки теперь сплошь и рядом. Давай-ка выпьем чаю, ты успокойся и послушай, что тебе посоветует твоя любящая мать, ведь ты за этим прибежал ко мне, не так ли?

Она размашистым жестом позвонила в колокольчик и приказала подать чаю.

— Я понимаю, тебя беспокоит вопрос наследства, и это естественно. Зная своего бывшего супруга как облупленного, скажу тебе, что теперь тебе нельзя ему перечить, громогласно стыдить папашу или клеймить его выбор. Ему шлея под хвост попала, седина в бороду, впрочем, он давно уже пребывает в таком состоянии души и тела. Но я не об этом. Ты должен смирить свою гордыню и обиду, спрятать подальше семейную честь и выразить папаше радость по поводу его бракосочетания. Дескать, как хорошо, что он еще столь здоров и в силе и выбрал в жены молоденькую женщину. Ну а далее, подберись поближе к самой красотке. Подозреваю, что она неглупа и имеет хватку, коль согласилась на подобное замужество. И это опасно! Но ты не робей. Хорошо, если она недурна собой, впрочем, скорей всего так и есть, если у старика взыграла кровь. Ты сведи с ней знакомство, дружбу, да как можно ближе.

— Мамаша, как вы можете советовать такое! — Черные брови Юрия выгнулись еще более выразительно.

— Ах, оставь эти глупости! Будь же взрослым! Сейчас речь идет о твоей будущности, не прохлопай наследства! — Мамаша с аппетитом откусила пирожок. — Скоро, очень скоро молодая жена уездит своего старичка в хвост и в гриву. От любовного угара он быстро на тот свет отправится. Вот тут и понадобятся тебе ее дружба и любовь. Может, и делить-то ничего не придется!

— Ох, маменька! Неловко как-то в такие-то игры играть! — с сомнением протянул Юрий, прихлебывая чай из фарфоровой чашечки.

— Вся жизнь, Юра, игра. Только одни играют по-крупному и выигрывают, а другие растяпы вылетают на обочину жизни и кусают потом локти. Помни главное: ни в чем не перечь отцу и будь его жене нежнейшим и первейшим другом, тогда все у тебя получится!

Бракосочетание старого банкира Бархатова вызвало большое оживление у светской публики. В церкви народу набилось — не продохнуть, и гостей, и просто зевак. Все пытались получше разглядеть невесту, жениха, родителей и злополучного Юрия. Разговоров в толпе было много. Злые пересуды, насмешки, неприличные намеки. До Юрия долетали обрывки фраз, он краснел и маялся. До ушей невесты тоже доносился шепоток, но она предпочитала его не замечать. Как не замечала многозначительных взглядов, кривых усмешек, явного неодобрения. Ей казалось, что вместо венка белых цветов на ее лбу горит надпись «Продано!». Роскошное платье, прозрачная фата с длинным шлейфом, букет, составленный с большим вкусом, — ничто не могло создать образ невинной трепетной невесты. Это вам не Пукирев со своим «Неравным браком»! Матильда понимала сие и мучилась. Ее тошнило от роли, которую ей навязали. Но она еще до венчания решила, что не станет жертвой, ни за что! Хочешь молодой жены? Получишь, но заплатишь за это сполна! Матильда с дрожью представляла себе картины супружества, однако она твердо решила извлечь для себя максимальную выгоду. Уж если пропадать, так задорого!

Церемония шла своим чередом. Молодые обошли вокруг аналоя. Обменялись кольцами. Сухими тонкими губами новобрачный прикоснулся к полному чувственному ротику супруги. Ей хотелось плюнуть в лицо старой отвратительной жабе, так она стала про себя называть мужа. Священник произнес положенные слова, и потянулись поздравляющие. Первыми подошли родители молодой жены. Мамаша хотела всплакнуть, да не посмела. Бленнингельд даже казался смущенным и потерянным. Быть может, он осознал всю мерзость своего поступка и его грызло раскаяние? Но Матильда слишком хорошо знала своего отца. Наверное, боится, не продешевил ли? Не слыша его голоса и не видя его лица, хотя оно находилось прямо перед ней, Мати решила, что более ноги ее не будет в родительском доме, в том доме, где ее обменяли на пачку векселей. Гости все подходили и подходили. В глазах многих мужчин она читала недвусмысленное предложение воспользоваться их услугами, ежели старец не сможет дать ей любовной услады.

— От души поздравляю, искренне рад и надеюсь, что мы станем с вами добрыми друзьями, — раздалось мурлыканье у самых ушей новобрачной. Матильда подняла глаза.

Юрий, сияя улыбкой, нежно теребил ее руку. Она посмотрела в его глаза, и они тотчас же заключили негласный союз.

После церкви молодые и гости двинулись отобедать по случаю пышного торжества. Матильда решила, что ни в чем не будет себе отказывать. Она танцевала со всеми кавалерами, только бы не стоять подле ненавистного супруга с фальшивой улыбкой на устах.

Утро следующего дня и прошедшую ночь она хотела вычеркнуть из своей жизни. Забыть. Но чувства омерзения и гадливости оказались слишком сильны. Матильда весь день провела в своих комнатах, не появляясь на людях. Ей казалось, что даже прислуга перешептывается и усмехается за ее спиной. Но она не могла оставаться вечной затворницей. Что ж, видимо, унижение и стыд есть естественная расплата за выгодную сделку. Одно обидно, пока не наблюдается никакой выгоды собственно для самой Матильды. Надо как можно быстрее исправить положение.

Глава 18

После того памятного дня прошло почти три месяца. Оля жила как во сне. Жизнь протекала мимо нее. Домашние заботы шли своим чередом. Отец, как всегда, рассказывал о своих больных, то и дело забегал Трофимов, за окном закружили снежинки, подступала зима. Но девушка ничего не замечала. Внутри ее все горело и кипело. Она не могла ни думать, ни читать, ни внимательно слушать, как раньше. Он, только он, его глаза, руки, нежные прикосновения, губы, полные страсти, ласковый шепот. И это будет сегодня, и завтра, в условленное время, в назначенном месте, тайно. Оля только теперь поняла, что ради этого она и жила. Вся ее прежняя жизнь была только приготовлением к настоящей жизни, полной неземной страсти, безумного чувства, которые несли ее безудержным потоком. Оля не задумывалась, что там, впереди? Это не имело значения. Она станет его любовницей? Пожалуй, и это вовсе не стыдно, не унизительно, ведь они так любят друг друга. Ни о чем другом девушка даже не помышляла. Божество спустилось с небес и одарило ее своим чудесным светом!

Они встречались то за городом, где подолгу ходили, держась за руки, не в силах разъять их. То обменивались стремительными исступленными поцелуями в закрытом экипаже. То шептались в сумрачном уголке скромного полупустого кафе. Оля полюбила ходить под густой вуалью, скользила, точно тень, боясь быть узнанной, боясь кривотолков вокруг имени любимого. Страсть захватила ее. Она не слушала голос разума, взывавший к благоразумию. Как можно так скоро забыть покойную супругу? Как можно почтенному отцу троих детей бегать на тайные свидания? И как несолидно все это для человека его положения и возраста! Удивительно, но Извеков сам однажды высказал эти мысли вслух, сам же над ними тонко посмеялся, и тут же придал их отношениям еще больше таинственности.

Олю мучило только одно. Его дети, их искренняя привязанность к ней и дружелюбие. Ей казалось, что Вера, со свойственной ей подозрительностью, мнительностью и нервозностью, о чем-то догадывается. Она почти перестала встречаться с девушкой, боясь выдать себя какой-нибудь неловкостью. Еще больше пугала Олю проницательная мисс Томпсон. Оле мерещилось, что гувернантка уже все распознала и со дня на день выдаст страшную тайну. Но кому? Оля не знала, кого ей более всего бояться? Отца? Веры и мальчиков? А может, памяти незабвенной Тамары, которая теперь смотрела с укоризной со всех своих многочисленных портретов. Доктор Миронов, однажды зайдя в комнату дочери, с удовлетворением заметил, что исчезли изображения прежних кумиров. Ни Горской, ни Извекова. Слава богу, девочка стала взрослой, решил наивный родитель.

Оля же не могла вынести взгляда прежнего кумира. Теперь в глазах покойной Тамары ей мерещилась укоризна. А лики возлюбленного она убрала, так как полагала, что никакие портреты не в состоянии передать его живое обаяние и удивительно притягательную красоту. Странно, но девушка перестала читать романы Извекова. К чему? Ведь теперь ее жизнь превратилась в очередной его роман. И что дальше? Сильно искушение пролистать вперед, до последней страницы. Воистину, велика мудрость Творца, который не дает нам подобного знания! У некоторых книг очень плохой конец, но лучше этого не знать заранее!

Однажды вечером снова пришел Трофимов. За окном выл ветер, валил мокрый снег. Борис долго стряхивал мокрые капли с барашкового воротника пальто и шляпы, топтался в передней, медлил. Прошел в гостиную и присел к круглому столу под матерчатым абажуром. Оля безуспешно терзала пяльцы. Работа не ладилась. Известно, что вышивание требует умиротворенного состояния духа и сосредоточенности. Увы, у вышивальщицы этого не было и в помине. Смятение и тревога обуревали ее. Непослушные пальцы часто ошибались и кололи сами себя, стежки ложились криво, нитки путались и рвались. Хотелось смеяться и плакать в один момент. Гости в подобной ситуации были совсем не ко времени.

— Папы нет, он нынче поздно будет, у тяжелого больного останется, — торопливо произнесла девушка, надеясь, что незваный гость скоро откланяется.

— А я, собственно, к вам, Ольга Николаевна, — тихо ответил Борис, положив руки перед собой.

— Да... что ж... — последовал невразумительный ответ.

Оля смотрела на руки гостя и видела тонкие чувственные пальцы Извекова. Они перебирают ее волосы, едва прикасаются к щеке, шее. По коже волнами разбегаются мурашки.

— Так я же говорил вам давеча, но вы, вероятно, запамятовали, — донеслось до ее слуха. — Меня в Англию приглашают, заниматься наукой буду, заманчивые перспективы открываются!

— Рада, очень рада за вас, Борис Михайлович! Папа всегда говорил, что у вас светлая голова и вас ждет замечательная карьера! Когда отбываете? — вежливо поинтересовалась она.

— Я уж давно должен был ехать, да все откладываю, — с внутренним напряжением произнес Трофимов.

— Отчего? — не поднимая глаз от работы, поинтересовалась Ольга.

— На чужбине одному невыносимо. Бог знает, вернусь ли, свидимся ли?

— Увы, это неизбежно в подобных обстоятельствах! Но вы не печальтесь, и там потихоньку приобретете новые знакомства, может, более приятные, чем теперешние, — добавила она с грустной улыбкой.

— Так ведь в том-то и дело, что не могу я расстаться с этими, как вы выразились, теперешними знакомствами! Для меня уехать от вас, что половину себя тут оставить! Не могу я без вас покинуть Петербург! — почти вскричал Борис и вскочил.

Оля так испугалась, что пяльцы выскользнули

и упали на пол. Трофимов покраснел и продолжал громким голосом:

— Хожу к вам, хожу, намекаю. А вы не видите и не слышите! Так вот я и говорю вам прямо, Ольга Николаевна, выходите за меня замуж, и поедемте со мной в Лондон!

— Боже милосердный! Боря, голубчик! — Оля всплеснула руками, не зная, что теперь делать.

— Оленька, милая, родная, бесценная моя! Я люблю вас! Как ненормальный, как заговоренный, хожу к вам, о вас думаю, мечтаю! — Борис бросился к ней, но она шарахнулась от него в другой угол комнаты.

— Да что же вы бежите-то от меня?! — Он почти плакал. — Разве я обижу вас? Да лучше сам пропаду тысячу раз! Оля! — Боря протягивал к ней руки, но Ольга оставалась неподвижна.

— Отец знает о вашем сватовстве? — тихо спросила она.

— Как не знать, — он опустил руки, не встретившие ответного порыва, и уныло пожал плечами. — В вашем доме даже приблудные собаки знают, что я люблю вас и хочу жениться.

— Стало быть, это одной мне невдомек. А знаете, почему? — Она нехорошо улыбнулась. — Потому что я так же безумно люблю, и ничего не вижу вокруг. Увы, милый, добрый, хороший мой Боря, не вас! Мне больно и горько вам это говорить, но не сказать в сложившихся обстоятельствах немыслимо. Только вы и поймете меня!

Борис остолбенел от ее признания.

— Господи! Какой я болван, слепец! — Он хлопнул себя по лбу и зло засмеялся. — А ведь я догадываюсь, кто этот счастливчик! Икона ваша, образ бестелесный писаки бесталанного, романиста нашего Извекова, угадал? Смешно, нелепо, дико отвергать чувства живого человека в угоду эфемерной мечте, поклонению мифу!

— Отчего же бестелесный, отчего же миф? — неприязненно и с вызовом ответила Оля, оставив без внимания обидные эпитеты в адрес возлюбленного.

— Стало быть, у вас настоящий роман? — почти зловещим шепотом произнес Борис.

Оля покраснела и обхватила себя руками, как бы пытаясь спрятать свою тайну. И тут раздался взволнованный голос:

— Я бы тоже хотел услышать ответ на вопрос Бориса! — В дверях стоял Николай Алексеевич.

Пальто расстегнуто, без шляпы, бросил в передней. В руках он держал корзинку, из которой кокетливо выглядывала головка нарядной бутылки шампанского.

— Вот, — доктор неловко протянул свою ношу, — спешил, на лихаче гнал, думал поздравить своих детей, порадоваться! Извините, я слышал ваш разговор! Значит, Извеков!

— Папа! — Оля в отчаянии бросилась к отцу. — Это вовсе не то, что ты думаешь!

— Это ты не то думаешь! Паришь в своих мечтах и иллюзиях! Книжек его начиталась! — Корзинка полетела в угол, бутылка звякнула, но не разбилась. — Экий подлец! А ведь у самого дочь девица! И как ему не стыдно, вдовцу, отцу троих детей, обольщать девчонку! Негодяй! Ну, да я найду на него управу! Собственноручно прирежу скальпелем, отравой напою!

— Папа, папа, не надо! — Девушка повисла на шее отца, но он отбросил ее как котенка.

— Вот, господин Трофимов, какие бывают неприятности у отца взрослой дочери! Подумайте, голубчик, может, одному-то и покойнее!

Борис не знал, что и сказать. Его распирали и горе, и унижение за отказ, и стыд, что стал невольным участником семейной драмы своего учителя.

— Николай Алексеевич, — начал было он, но доктор прервал его:

— Тут оставайтесь, я сейчас позвоню нашему Казанове, потребую объяснений.

С этими словами он пошел к телефону в соседней комнате. Оля охнула и бросилась к трубке. На некоторое время все стихло. Слова казались совершенно немыслимыми, ничтожными. Каждый решал про себя, как поступить. Доктор — вызывать или не вызывать обидчика на дуэль? Не вызывать — обидно, вызывать и рисковать жизнью и репутацией — глупо. Но как призвать наглеца к ответу? Трофимов думал — бороться дальше или уступить, отказаться от своей любви? Оля — сразу уйти с любимым, вот так, прямо в чем есть, или пытаться примириться с отцом?

Отвратительно громко заверещал звонок в передней, и почти тотчас же в гостиной появился Извеков. По всему было заметно, что он очень спешил: одет небрежно, задыхается. Вслед за ним вошел хозяин дома.

— Николай Алексеевич! — с порога обернулся к нему писатель. — Вы напрасно изволите гневаться и подозревать меня и вашу дочь в непристойностях! Я сам отец! Именно это обстоятельство, мое недавнее вдовство, а также приятельство, существовавшее между нашими семействами, и вынудили нас к скрытности! Согласитесь, в моем положении как-то неловко ухаживать в общепринятом смысле слова! Но вы поймите меня, я воспылал к Ольге Николаевне самыми нежными чувствами. Поэтому, как порядочный человек, прошу руки вашей дочери!

Оля снова охнула, но по-другому, и поспешно села на стул. Перед глазами все поплыло, она побледнела.

— Оленька, дочка! — Доктор бросился к ней, торопливо нашел в своем чемоданчике флакончик и стал прикладывать ей к лицу.

— Вдохни, вдохни! Ну-ну, ничего, сейчас пройдет! Эдак у кого хочешь голова кругом пойдет, зараз два предложения выйти замуж!

— Два? — удивился Извеков и только теперь заметил соперника.

Побледневший Борис стоял, опершись на стену, наблюдая за происходящим. Все рухнуло в одно мгновение, счастье и надежды испарились, как жидкость на огне во время опытов.

— Что ж, пусть Ольга Николаевна сама и решит, кто ей более по душе! — дружелюбно провозгласил Вениамин Александрович, уверенный в своей победе.

— Что же тут решать, вы же знаете, что, кроме

вас, мне никто не нужен! — слабым голосом пролепетала бедная девушка.

Извеков вопросительно взглянул на доктора. Тот неуверенно кашлянул. Благословлять? Какое неудобное, однако, положение. Надо бы радоваться, да за Борю обидно. Жениха обнять? А ведь только что грозился его убить!

— Господин Миронов, мне неприлично давать вам советы, но я считаю, что, позволив этот брак, вы совершите самую роковую ошибку в своей жизни и в жизни Ольги! — дрожащим голосом произнес Трофимов.

— Боря, голубчик, но что же делать, это ее выбор. Я не могу неволить мою дочь! — Миронов в величайшем смущении взялся протирать очки.

— По вашим словам я могу заключить, что препятствий для брака нет? — Извеков вперил взор в несчастного отца. — Надеюсь, вы все отдаете себе отчет, что не каждый день известный всей стране писатель делает предложение!

— Разумеется, Вениамин Александрович! Вы должны меня простить, я погорячился, не разобрался! Я рад, чрезвычайно рад, что все так обернулось! — Но в голосе доктора не чувствовалось подлинной радости.

Извеков был неглуп и чутко это уловил, но решил не обращать внимания. Оля подняла к нему глаза, влажные от подступивших слез. Он глянул в них, и сердце его защемило.

— Что ж, шампанское, однако, пригодилось! — нарочито бодро произнес Миронов, поднимая уцелевшую бутылку.

— Простите меня, господа, но я пойду, — Трофимов двинулся к двери.

— Борис, вы поверженный соперник, но я уважаю и ценю ваши чувства к моей невесте, — последние слова Извеков произнес с особым ударением, — прошу вас, дайте руку и непременно будьте на свадьбе!

Оля с восхищением взирала, как Вениамин энергично обменялся рукопожатием с Борисом. Миронов хотел проводить молодого человека, но тот только мотнул головой, мол, вам за женихом ухаживать надо! На душе у Ольги стало тепло и покойно.

Глава 19

Матильда Карловна изнемогала. Прошло два года после венчания, но она никак не могла привыкнуть к своему супругу. Владимир Анисимович, целуя жену, покупая ей наряды, любуясь ею на балах, не представлял себе, что она думает об их браке и о нем самом. Нет, конечно, он не строил иллюзий насчет ее пылких чувств, но на приветливую и дружелюбную привязанность все-таки рассчитывал, справедливо полагая, что за это щедро заплачено. Матильда ничем не выдавала своего истинного отношения к мужу. Она казалась безукоризненной женой, что замечали даже посторонние злопыхатели и любители порыться в чужом грязном белье. Однако про себя она беспрестанно помышляла о свободе. Отчего черт не берет муженька? Стоило старику занемочь, прилечь, позвать доктора, как молодая супруга уже лелеяла надежду, что хворь унесет благоверного в могилу. Ан нет, он опять на ногах, живой, бодрый и подвижный, дай бог молодым такую прыть! Мати запоем читала романы, в которых расписывались способы умерщвления старых и ненавистных мужей. Яд, подушка на лицо, кинжал в темном закоулке. Страшновато, а вдруг полиция найдет преступницу? Неужели из-за него еще и на каторгу идти? Правда, супружеская спальня похуже каторги выходила! Как отвратительны тонкие сухие губы, дряблое тело, худые волосатые ноги, морщинистая шея! Как ни странно, но старый Бархатов еще не украсил свою голову ветвистыми рогами. Жена выжидала, выбирала кандидата покрасивее да поумнее. А они вились вокруг нее, точно рой мошек летним вечером.

Как-то раз, когда старый муж отсутствовал дома, а прекрасная Матильда коротала время в блаженном одиночестве, явился сынок супруга, Юрий. Горничная провела гостя в будуар, где молодая жена возлежала на кушетке в роскошном пеньюаре, с распущенными волосами, слегка прихваченными яркой лентой. Около нее прикорнула маленькая крикливая моська. При виде вошедшего собака злобно заворчала, давая понять, что он тут лишний. Юрий терпеть не мог отвратительную псину и всякий раз, встречая ее в комнатах на диванах и пуфиках, с трудом подавлял в себе желание пнуть ее, да так, чтобы она летела как можно дальше.

— Приветствую вас, прелестная богиня! — Бархатов поспешно склонился над нежной рукой, протянутой ему с томным видом. — Какое благородное животное, какие выразительные глаза, какой изгиб тела!

Моська встала и потянулась, сладко зевнула, показав розовый язык. Но когда молодой человек попытался ее погладить, она чуть не тяпнула его за палец. Хозяйка засмеялась и прижала собачонку к груди. Та лизнула ее в лицо. Юрий наблюдал эту идиллию с деланым умилением.

— Хотел бы я теперь оказаться на ее месте! — Он мечтательно прикрыл глаза.

Матильда снова засмеялась и погрозила ему пальцем. Зачем он пришел? Цель его визита видна за версту, только он трусит, все ходит кругами, примеряется, как бы провернуть дело половчее да чтобы не попасть впросак. Между тем начался обычный светский разговор, обсудили знакомых, пересказали друг другу последние сплетни, мелкие семейные новости, вроде бы и уходить пора, но Юрий не спешил. Он уже и вздыхал выразительно, и подсаживался на кушетку поближе к прелестным ножкам, и невзначай притронулся к непослушному локону. Все без ответа. Матильду забавляла эта игра. Юрий ей нравился. Что ни говори, красавец, черные волосы, брови вразлет, глаза чуть навыкате, но тоже хороши! И одевается щегольски, со вкусом. Слова говорит приятные, и так нежно, с придыханием. Что ж, пожалуй, по здравом размышлении, лучше на нем и остановиться.

Мати потянулась, как кошечка, выгнув спинку. Пеньюар натянулся на груди, пола соскользнула, открыв нежную поверхность бедра. Юрий умолк на полуслове. Это призыв к действию или провокация? Что, если потом она погонит его в шею да еще папаше нажалуется? Или все-таки действовать? Прохлопаешь момент, потом не позовут, другие прибегут! От напряженного выбора лицо молодого человека покрылось потом, он оробел. Хищница ждала, вперив в жертву зовущий взор. Ну, была — не была! И Юрий бросился в бой. Через мгновение он понял, что не прогадал, что именно этого от него и ждали. Даже любимую моську отправили в другой угол комнаты, откуда она наблюдала за любовными играми своей хозяйки с ревнивым повизгиванием. Хорошо, что собаки не могут пересказать увиденное!

Матильда осталась очень довольна. Наконец общение с мужчиной принесло ей долгожданное удовольствие, а не физическое отвращение. Она обласкала любовника, и он долго еще оставался у ее ног. Надо ли говорить, что после этой встречи их свидания стали постоянными?

Время шло, а старик на тот свет и не собирался. Матильда совсем приуныла. Эдак она изойдет от тоски и отвращения и первая покинет этот мир. С такими мыслями молодая женщина хмуро разглядывала себя в зеркало. Что это, морщинка? Ужас! Вот так и жизнь пролетит! Какая печаль, пожаловаться некому, вокруг все ей завидуют. Еще бы, такие наряды, драгоценности. А какой выезд! Ложа в Михайловском театре, Париж, Италия! Все у ее ног! Но ничто не радует душу, там пустота и мрак. И даже красавчик Юрий не заполнил этой пустоты по причине собственной легковесности и лицемерия. Она прекрасно отдавала себе отчет, что он метит на все наследство целиком, не она ему нужна, а папенькины деньги. А если и она, так только ее тело, но не душа! Даже родительский дом для нее теперь чужд. На свадьбе Мати дала себе зарок и с тех пор перестала видеться с родней, не в силах простить их.

Ударили часы. Совсем забыла, надо собираться, муж приказал сопровождать его в один дом с важным визитом. Вздыхая, Матильда побрела наряжаться. Визит затянулся надолго, Бархатова стойко переносила бессмысленную болтовню в гостиной, как вдруг ее привлек разговор.

— Значит, вы полагаете, что от любви нельзя умереть? — в возбуждении произнесла одна дама высушенного вида с серой кожей и тусклыми волосами.

Ее собеседник, подвыпивший вояка с лихо закрученными усами, довольно громко заявил:

— Вы говорите о смерти в фигуральном, литературном смысле?

— Отчего же в фигуральном? Мир знает тысячи случаев смерти от несчастной любви!

— От несчастной любви! Вот вы, дамы, всегда нечто эдакое вспомните! А я вам скажу, что знаю случай смерти от избытка чувств! У нас в полку служил некий господин. И угораздило же его жениться на молоденькой!

Тут Матильда вся превратилась в слух. А рассказчик, разгоряченный вином и пикантными воспоминаниями, продолжал с воодушевлением:

— А сам-то был в летах преклонных. Но от любовных утех не отказывался, предавался им с величайшим удовольствием. Они-то его и погубили, в самый что ни на есть приятный момент его существования. Помер в объятиях супруги.

— Так прямо от этого и помер? — понизив голос и пунцовея, переспросила собеседница.

— Да-с, доктор сказал, от избытка чувств! Не вынес организм! Не тот возраст! Не знал меры!

— Забавный анекдот, — многозначительно кашлянув, произнес подошедший хозяин дома.

Все разом оглянулись на молодую Бархатову и смолкли. Дама поспешно встала и вышла, мужчины направились в курительную. Матильда замерла. Вот оно, средство! Она заулыбалась. Навстречу шел супруг.

— Ты улыбаешься, дорогая, а я боялся, что ты утомилась и будешь проситься домой. Пойдем, я тебя познакомлю еще с одним важным человеком!

Прошло совсем немного времени, и Матильда наконец воплотила в жизнь свою мечту. Почтенный Бархатов упокоился в своей постели как раз в тот самый миг, когда блаженство раскрыло ему свои объятия. Спешно вызванный доктор только качал головой.

— Дай-то бог каждому такую прекрасную смерть, — и эскулап выразительно скользнул глазами по манящему телу безутешной вдовы, кутающейся в пеньюар.

Похоронив супруга, Матильда Карловна получила достойное вознаграждение за свои мучения. Увидев завещание, она даже прониклась к покойному теплым чувством, которого он так и не добился при жизни. Юрий тоже был не обижен, но ему не давала покоя мысль о деньгах, доставшихся молодой вдове. Однажды он навестил ее, по-дружески, по-родственному.

— Милая Мати! Теперь, когда ты свободна, осмелюсь предложить тебе продолжить наш тайный союз, но сделав его явным и законным! — Юрий преданно глядел в глаза своей любовнице, готовясь услышать возглас восторга от его предложения и принять ее в свои объятия.

Однако молодого человека ожидало горькое разочарование. Матильда засмеялась низким грудным смехом, который просто сводил его с ума.

— Милый Юрий! — передразнила его вдова. — Не для того я жаждала свободы, чтобы расстаться с ней уже на следующий день! Извини, дружок, но я вынуждена огорчить тебя. Замуж я пока не собираюсь, ни за тебя, ни за кого другого! Хочу пожить в свое удовольствие!

— Но как же так, Матильда, ведь ты не можешь жить одна, без...

— Без чего? — она иронично прищурилась.

— Без дружеского участия, помощи, поддержки. Тебя обманут, разорят! — неуверенно произнес Бархатов, чувствуя, как фальшиво звучат его слова.

— Не бойся, Юрий, деньги твоего отца я буду тратить с умом. Чего и тебе советую.

— Матильда! Ты несправедлива ко мне! Я не о деньгах говорю, а о своих чувствах к тебе!

— Чувства никуда не денутся! Для тебя двери моей спальни всегда будут открыты, мой друг. — Она нежно потрепала его по щеке.

«Двери-то, может, и откроют, да постелька будет занята!» — пронеслось в унылом сознании неудачливого игрока. И он очень скоро убедился в своей прозорливости.

Глава 20

Став невестой известнейшего писателя, Оля отдавала себе отчет в том, что прежде чем вкусить плоды своего нового положения, ей придется пережить не одно неприятное мгновение. Прежде всего, как отнесутся дети к этой новости? Девушка уповала на прежнюю взаимную привязанность, которая возникла между ними за время знакомства. Но одно дело быть доброй знакомой, иногда заменявшей гувернантку, а другое дело — мачехой. Опасения Мироновой оправдались. Мальчики, которые уже превратились в долговязых подростков, услышав о решении отца, засмущались, робко подошли в Оле, чмокнули ее в щеку и поспешно отбежали прочь. А вот Вера вдруг заверещала, заплакала, бросилась вон. Следом двинулась и мисс Томпсон, многозначительно качая головой, словно говоря: «Я так и знала, что этим кончится». Оля удалилась в расстроенных чувствах, она обманулась в своих ожиданиях. Только теперь она поняла, как трудно ей придется. Надо будет заново искать пути в души детей, чтобы занять там место их покойной, но до сих пор любимой матери.

Вениамин Александрович безуспешно пытался весь оставшийся день успокоить дочь, но она оставалась безутешной.

— Помилуй, Вера, что на тебя нашло? Ведь ты дружна с Ольгой Николаевной! — Он гладил ее по голове.

— Это ровным счетом ничего не значит! Разве она может быть вместо мамы? Разве вообще кто-нибудь может быть на ее месте! — захлебывалась слезами дочь.

— Родная, ты сто раз права, лучше Тамарочки нет и никого не будет! Но пойми, дитя, я еще молод, и это естественно, что я решил жениться второй раз. К тому же твои братья пока малы, за ними нужен догляд, да и дому требуется хозяйка, а то все кувырком!

— Зачем для этого жениться? — Вера вырвалась из его объятий. — Я стану следить за мальчиками, мисс Томпсон мне поможет, я буду вести хозяйство, я научусь!

— Но ведь дело не только в этом. Я влюблен, мне хочется, чтобы Ольга стала моей женой. Попозже ты поймешь меня.

— Нет, нет, я не потерплю ее на месте мамы!

— Но пойми, так или иначе, сейчас или потом, нечто подобное все равно случилось бы. Моей женой могла оказаться другая женщина, которую ты бы совсем не знала.

— Неужели тебе не хватает нас, нашей любви, обязательно нужен еще кто-то?!

— Дитя, так устроен мир. Ты привыкнешь, нам всем будет очень хорошо!

— Нет, мне никогда не будет хорошо, если она станет здесь жить!

— И что прикажешь делать в таком случае?

— Я не останусь с вами, я попрошу бабушку позволить мне жить у нее.

— Что ж, ты сама приняла это решение! — со вздохом ответил разочарованный отец.

Он заперся у себя в кабинете, полный неприятных размышлений о дальнейших трудностях. Пытался сесть за рукопись, но работа совершенно не ладилась. Оля и бедная Вера не выходили из его головы.

Следующее испытание явилось в виде Агриппины Марковны. Оля не видела ее со дня смерти Тамары Георгиевны и очень удивилась, застав столь нежданную гостью в своем доме. Судя по всему, та пребывала тут уже давно, и вместе с Николаем Алексеевичем они многое успели обсудить.

— Вот и Оля! Хорошо, что ты застала нашу гостью и сама можешь услышать все из ее уст. В противном случае ты бы мне не поверила и сказала, что я возвожу напраслину на твоего избранника, — доктор торопливо поднялся навстречу дочери.

Оля почувствовала, как внутри ее все сжалось. Тем не менее она любезно приветствовала старую женщину, заметив про себя, что та совершенно не изменилась за прошедший год.

— Что такого особенного я должна узнать? — Оля расположилась на диване рядом с отцом.

Агриппина Марковна, сидевшая в кресле напротив, вздохнула.

— Знаю, что ты про себя думаешь! Злобная старуха всегда ненавидела своего зятя и продолжает ненавидеть, строя ему козни в его новом браке. Так ведь?

Оля смутилась. Что же, надо отдать должное проницательности Горской.

— Только я не со зла пришла рассказать вам правду. Нет во мне никакого зла, есть только боль и горечь за свое дитя, которое я так рано потеряла. Страшно пережить своего ребенка! — Она горестно покачала головой. — До сих пор не могу смириться с тем, что она в сырой земле, а я, старый гриб, все ползаю, копчу небо!

Агриппина Марковна вытерла выступившие слезы и продолжила:

— А вот если бы не он, разлюбезный мой зятек, глядишь, жизнь моей Тамары пошла бы по-другому, и не отправилась бы она в расцвете сил в могилу!

— Но как может Вениамин Александрович быть повинен в болезни своей жены? — с вызовом спросила Оля, которой этот разговор стал неприятен.

— А так, что он заел ее жизнь, выпил ее по капельке! Как он ревновал ее! Как завидовал ее успеху, постоянно сравнивая со своим! Потому-то он и решил запереть жену в доме, наплодить детей, чтобы она шагу сделать не могла, чтобы красота ее увяла, чтобы ее забыли в театре, не приглашали сниматься в кино. И ведь достиг своей цели! — Старуха хлопнула себя по коленям.

— Я думаю, вы преувеличиваете отрицательную роль Вениамина Александровича в том, что касается падения популярности Тамары Георгиевны, — строго заметила Оля, но собеседница не обратила внимания на ее слова.

— Подумать только, почти каждый год то роды, то неудачная беременность. И всякий раз все тяжелее и мучительнее. Так остановись, уйми свою похоть, ведь видишь, как дается жене каждый ребеночек! Говорили ему доктора, что нельзя ей больше, угробит это ее, так и вышло! Ведь я правильно понимаю, доктор?

— Да, вероятно, так и получилось, — промямлил Миронов, — но в столь деликатных вещах человек пока не властен, все в воле Бога!

Ему было неловко, что с его девочкой беседуют о подобных материях.

— Вам неприятно слушать мои откровения, но кто же еще расскажет, что ваш кумир соткан из злого эгоизма, самолюбования. Что душа его холодна, он пуст, как выпитый бокал, ему нечего дать ни вам, ни детям!

— Ну, это вы уж слишком! — рассердившись, Оля встала и отошла к окну. — Позвольте мне самой сделать выводы о характере своего будущего мужа!

— Сделаешь, сделаешь! И вспомнишь меня, старую! — Горская махнула рукой. — Только некоторые вещи вы, доктор, вероятно, углядели и теперь.

— Что вы имеете в виду? — насторожился Николай Алексеевич.

— А то, что Вениамин любит к рюмочке прикладываться, да так, что порой себя не помнит!

— Вы хотите сказать, что известный на всю страну писатель — горький пьяница? — Оля даже ножкой топнула от обиды за жениха. — Но ведь это стало бы известно давно и всем!

— К слову сказать, я подозревал нечто подобное, — тихо заметил Миронов.

Оля растерялась. В какой-то момент и в ее сознание закралось подозрение, но оно быстро рассеялось, ведь совсем пьяным она не видела Извекова никогда. Да и что страшного от одной-двух рюмок водки за обедом?

— Закроется у себя в кабинете и пьет, а все говорит, что работает. А потом не выходит сутками, пока не проспится и хмель не выйдет, — Агриппина Марковна с сожалением посмотрела на девушку.

— Но что вы хотите от творческого человека, если роман не получается да еще жена умирает! — Оля почти плакала.

— Да, тут есть правда. Может, оно и так. Может, с тобой ему лучше жить будет. Дай бог, чтобы у вас все сложилось и получилось! — неожиданно миролюбиво произнесла старая женщина. — Я только порадуюсь, ведь при тебе будут мои внуки! Я оттого пришла, что не посторонний я теперь для тебя человек, будешь растить детей моей Тамары! Люби их, не обижай, и Бог тебя не обидит! Если нужно, я помогу, чем могу. Совесть моя теперь чиста, не упрекнете потом меня, Николай Алексеевич, что сокрыла от вас подноготную. Вот и решайте, как вам быть. А Ольга ваша мне по душе, чистая и светлая, я за деток спокойна, не пропадут! Прощайте, храни вас Господь!

С этими словами она поднялась и тяжело, но с достоинством, двинулась к дверям. Доктор, как вежливый хозяин, поспешил проводить гостью, дочь же его осталась недвижима.

Нет, это все неправда. А даже если и правда, тогда что? Ровным счетом ничего, потому что она любит Извекова больше жизни и он любит ее. Они вместе преодолеют все преграды, они непременно будут счастливы, как же иначе?

Глава 21

Трофимов стоял в церкви и страдал. Обряд шел своим чередом. Публика шушукалась, разглядывая невесту. Большинству гостей она понравилась, хотя, конечно, невозможно было и сравнивать с божественной Горской. Оля превзошла сама себя. В жизни она не была так хороша, как в день свадьбы перед алтарем. Впрочем, это участь всех невест. Пленять, восхищать, заставлять жениха трепетать и родню утирать слезы. Николай Алексеевич крепился, но глаза его пребывали на мокром месте. Вот бы мать порадовалась за дочку. Выйти замуж за известного писателя, кумира Петербурга! Впрочем, жаль Бореньку Трофимова! Золотой был бы для Оленьки муж! А с этим, бог его знает, как все сложится! Да еще чужие дети! Нет, слепа оказалась дочь, не увидеть чувства Трофимова! И ведь набрался мужества, пришел, бедняга, за колонной стоит, чуть не плачет!

Трофимов, притаившийся в укромном углу церкви, и впрямь готов был разрыдаться. Одевшись как и подобает на свадьбу, с цветком в петлице, он мысленно представлял себя на месте счастливца Извекова. Вот он дрогнувшим голосом отвечает на вопрос священника, за ним едва слышен голосок Оли. Вот жених надевает на маленький пальчик в шелковой перчатке заветное колечко, которое навеки связывает их в одно целое. Вот поднимает прозрачную фату, целует нежные губы. Все, свершилось! Оля принадлежит другому, не ему! Невыносимо, немыслимо! Еще утром он уповал на чудо. Вдруг в церкви пожар, или революционеры бомбу бросят и чрезвычайное положение введут, или жених до смерти заболеет, или Оленька образумится! И зачем он приехал сюда душу рвать? Сидел бы в кабаке да водку пил, заливал горе.

Подойти к молодым и пожелать семейного счастья он не решился, духу не хватило. Зачем портить новобрачным настроение в такой день своей кислой физиономией? Однако проводил невесту горящим взором, когда молодожены двинулись из храма. Зазвонили колокола. Оля проплыла мимо в облаке фаты, под которой пряталась высокая прическа из завитых и взбитых светлых волос. Ее глаза сияли, она вся излучала восторг. Окружающие смотрели на нее с умилением. «Вот так выглядит счастье!» — подумал про себя Трофимов. Глядя на невесту, он даже устыдился своего эгоистического порыва. Как он мог на что-то надеяться, если тут такая любовь! Что ж, не судьба! «Будь счастлива, любимая, мне остается только молиться за тебя!» — с этими мыслями молодой человек одним из последних вышел на паперть.

— Боря, дорогой, все-таки пришел! — раздался рядом радостно удивленный голос доктора Миронова.

— Поздравляю вас, Николай Алексеевич, с бракосочетанием дочери! — сдержанно поклонился Трофимов своему учителю.

— Да, голубчик, да! Понимаю, вам нелегко! — Миронов, во фраке и с белым галстуком, похлопал его по плечу. — Но что делать? Может, оно и к лучшему? Впрочем, к чему загадывать, поживем, увидим! Вы когда покидаете нас?

Миронов прекрасно знал, когда уезжает его ученик, потому что сам много способствовал этой поездке. И Борис знал, что доктор знает дату отъезда. Но обоим было неловко, нехорошо друг с другом, ведь надо было о чем-то говорить, а говорить не хотелось.

— Послезавтра еду. Паспорт уже выправил, бумаги собраны, с квартирной хозяйкой рассчитался, нанес последние визиты. Вот этот, можно сказать, визит на Олину свадьбу самый последний.

— Как прибудете на место, оглядитесь, обустроитесь, тотчас пишите! Подробно, с деталями, мне все интересно, все важно! — с излишней горячностью воскликнул Николай Алексеевич.

— Обещаю, — коротко кивнул Трофимов.

Новобрачные между тем сели в нарядную карету, украшенную гирляндами и лентами. Гости поспешили занять свои места в торжественной процессии.

— Ох, надо и мне поторопиться, а то без меня уедут! — засмеялся доктор, глядя, как за краем белоснежного платья дочери захлопнулась дверца кареты. — Ну, прощайте, дружок! Желаю удачи! Бог даст, свидимся!

Они пожали друг другу руки, и Трофимов остался на паперти один. Только сейчас он почувствовал, что на улице холодно. Он поежился, застегнул пальто, поднял воротник, надел шапку. Опять подумал об Ольге. Господи, неужели он теперь обречен думать о ней постоянно, во всякие мгновения своей жизни?

Новобрачные почти сразу после свадьбы уехали за границу. Мальчики, повзрослевшие и попритихшие от таких кардинальных перемен, остались на попечении мисс Томпсон. Вера, как и грозилась, переселилась к бабушке. Она уже раскаялась в своем решении, вызванном мимолетной вспышкой злобы, но отступить не могла и не хотела из-за детского упрямства. Перебравшись вместе с книгами, куклами, нарядными побрякушками, ворохом одежды и белья на новое место, она сразу поняла, что жить ей здесь, хоть и у родной бабки, будет очень непросто.

Старуха Горская проживала в конце Малой Морской улицы в собственном доме, таком же старом, как и она сама. Он принадлежал родителям покойного мужа. После замужества дочери Агриппина Марковна населила его приживалками, наперсницами, бедными родственницами, коих за много лет завелось в этих комнатах бог знает сколько. Вера даже не брала себе за труд запоминать их имена. Все они кормились с барского стола, имели свой укромный уголок, и каждой было предписано определенное занятие. Читать вслух книгу с выражением, придыханием и завыванием в нужных местах. Вдевать нитки в иголки. Кормить, чесать и всячески обихаживать дюжину кошек. Точить сломанные карандаши, которыми хозяйка вела подсчет расходов. Следить за горничной, чтобы не стащила чего в комнатах, за кухаркой, чтоб не украла хозяйский сахар, он нынче дорог, за дворником, чтоб экономно жег дрова, и вообще наблюдать за всяким и каждым. Приносить новости с улицы. Иногда просматривать газеты. Словом, у всех была масса важных и полезных поручений. Хозяйка жила в достатке, но замкнуто, ограничивая общение семьей дочери и старыми знакомыми. Вездесущие журналисты после смерти богини пытались пробраться в святая святых — ее девичью светелку, вытянуть из несчастной матери подробности юности Тамары. Но получили суровую отповедь и были изгнаны раз и навсегда.

Вера надеялась, что бабушка поселит ее в комнате покойной матери и она окажется среди ее вещей и предметов. Но ей досталась маленькая комнатушка, где она с трудом разместилась сама и расположила свое добро. Первые дни Вера бродила по дому, и хотя она тут бывала не раз, открывала его заново, все закутки и уголки. Некоторые приживалки, подобные большим серым мышам, пугали Веру. Какая ужасная и жалкая участь! А ведь они тоже когда-то были молоды, быть может, красивы, полны надежд! Бабушку девушка боялась и почитала. Она с детства наводила на детей страх своими грозными речами. Позже Вера научилась понимать, что за этим, как ни странно, плещется любовь, море любви к ненаглядной Тамарочке, Вере и братьям.

Все здесь было непривычно. Уклад жизни, какой-то неспешный, сонный. Обстановка комнат, старая, но крепкая мебель, диваны и кресла, покрытые чехлами. Непонятные запахи, то ли пыли, то ли старости. Особенно чуждыми оказались звуки. Если в родном доме постоянно слышались голоса детей, взрослых, музыка, рояль или патефон, разговоры многочисленных гостей, хриплые трели телефона, то тут — тишина, шарканье стоптанных туфель, скрип половиц, изредка брань в кухне, хлопанье форточки — и снова тишина. Первые дни, пока Вера привыкала, Агриппина Марковна все говорила с ней, без конца посылала к ней горничную, заставляла подолгу сидеть около себя, полагая, что тем самым скрасит и облегчит девушке перемену дома. Потом Вера оказалась предоставлена сама себе, правда, в ограниченных пределах.

— Ты уж, милая, не сердись, но из дому тебя я одну отпускать не могу. Гувернантки теперь нет, лакеи и горничная в летах, чтоб за тобой бегать. Так что будешь со мной выезжать, — заявила Горская внучке, когда та пожелала пройтись прогуляться.

Вера смирилась безропотно и довольствовалась открытой форточкой и поездкой в древнем рыдване за покупками. Себе начитанная девушка теперь напоминала Лизу из «Пиковой дамы» сочинения господина Пушкина.

Однажды Агриппина Марковна, вкусно отобедав карпами в сметане, гусем с кашей, налимьей печенкой и пребывая в чрезвычайно доброжелательном расположении духа, завела с внучкой разговор, который привел Веру в большое уныние.

— Я много думаю, Вера, о твоей будущности. Ведь теперь твоему разудалому отцу не до тебя, у него молодая жена! Кроме меня, некому о тебе побеспокоиться!

— Помилуйте, бабушка, вы и так обо мне заботитесь, куда еще более! — удивилась девушка, прикидываясь, что не понимает, куда клонится разговор.

— Надо тебе найти жениха, настоящего! — воскликнула Аргиппина Марковна. — Такого, чтобы ты жила за ним, как за каменной стеной! И не знала ни горя, ни забот!

— Да разве бывают такие? — меланхолически пожала плечами Вера.

— Встречаются, — последовал краткий ответ. — Только ты, Христа ради, мне не перечь, не спорь и не капризничай! Худого сами не возьмем, научены горьким опытом!

И дальше уже речь старухи потекла в привычном русле. Она принялась клеймить и ругать зятя. Вера крепилась и терпела. Она хоть и не соглашалась, но вынуждена была молчать. А иначе с чего тогда убежала из дома?

Агриппина Марковна от слов перешла к делу. Зашевелились, зашелестели ее прежние подруги. Пришлось сделать над собой усилие и нанести несколько визитов. Веру представили нескольким молодым и не очень молодым людям, которые, по мысли бабушки, вполне могли претендовать на роль жениха. Однако никто из претендентов не поразил ее воображения. На самом деле девушка носила в душе образ, который казался ей чрезвычайно притягательным. Им являлся известный литератор, журналист Иван Пепелищев. Вера не знала, сколько ему лет, может, на десять-пятнадцать меньше, чем отцу. Высокий, худой, смуглый, Пепелищев производил странное, одновременно пугающее и завораживающее впечатление на юную душу. В нем было что-то цыганское, даже нос с горбинкой и волос темный и кудрявый. Он частенько заходил к Извекову как к товарищу по литературному цеху и вел долгие и страстные споры о высоких материях. К Вере он, конечно, относился как к ребенку, ласково и снисходительно. Своей же семьей Пепелищев не обзавелся.

Предложенные Вере кандидаты показались бесцветно тусклыми и унылыми. Агриппина Марковна осерчала.

Вера затосковала. Она знала, что отец с женой давно вернулись. Братья Кирилл и Павел учились в гимназии. Она отчаянно скучала по дому, по своей комнате, по неуемным мальчишкам, которые ей так досаждали. Но главное, мучительная ревнивая любовь к отцу, непременное желание видеть его постоянно — вот что глодало ее душу. Вера поняла, что уже готова смириться с его женитьбой, присутствием Ольги, только бы вернуться обратно и зажить как прежде.

— Скучаешь? — Старуха сверлила ее взором. — Вижу, маешься, домой хочешь, а сказать боишься или стыдишься!

Вера тяжело вздохнула и понурила голову. Как теперь вернуться? Ждут ли ее там? Да и бабушку не хочется обижать.

— Ладно, помогу тебе, напишу отцу. Пусть забирает обратно.

Извеков пришел довольно быстро, не минуло и трех дней после разговора. Вера обхватила его за шею и заплакала. Вениамин Александрович, нежно поглаживая дочь по голове, произнес:

— Ну-ну, не надо слезы лить! Я не сержусь на тебя, хотя ты и поступила очень нехорошо! Все прошло и забыто! Я думаю, Ольга Николаевна тоже будет рада видеть тебя снова с нами!

Вера откинулась назад и посмотрела в лицо отца. Они были опять рядом, обнимали друг друга, но между ними теперь навсегда пребывала Ольга.

Глава 22

Сердюков, насытившись разговорами о привидениях, решил тем не менее не оставлять без внимания материалистические истоки преступле-

6 – 2405

ния. Кто еще остался без внимания? Спешно прибывший на похороны сын Извекова Павел. Молодой человек любезно согласился поговорить со следователем, если это необходимо.

— Но вряд ли я смогу вам чем-нибудь помочь, ведь я уже несколько лет не живу в Петербурге, — Павел пожал плечами. — Что вы хотите знать?

— Откровенно говоря, сам не соображу. Но это не должно вас пугать или настораживать, иногда клубочек вытягивается из самой незаметной ниточки, которую не знаешь где и подцепишь!

Разговор происходил в квартире Извековых, куда следователь теперь ходил с изрядной регулярностью. Павел оказался невысок, темноволос, чертами лица необычайно походил на мать, правда, без ее блеска и изящества.

— Рассматриваете меня, пытаетесь понять, на кого из своих знаменитых родителей я больше похож? — ухмыльнулся Извеков-младший.

— Простите, непроизвольно вышло, — смущенно кашлянул полицейский.

— Ничего страшного, я привык. Но мне всегда хотелось оставаться прежде всего самим собой, а не сыном известного романиста и популярной актрисы.

— Поэтому вы и пошли в инженеры-путейцы, подальше от мира творческих людей? На железной дороге карьеру сделать собираетесь, как господин Витте? — улыбнулся следователь.

Самостоятельность молодого человека, двигавшегося по жизни без протекции знаменитого папаши, импонировала Сердюкову, который тоже добивался всего в жизни сам.

— Совершенно верно! Мы с братом пошли совсем по другой стезе. Я в инженеры, он хотел служить Отечеству. Да не вышло. Вы знаете, какая беда приключилась с Кирой, то есть с Кириллом. Проклятая дуэль!

Сердюков кивнул. На самом деле он толком ничего не знал, но история в свое время была шумная.

— А вот Веруша очень переживала, что не похожа на маму да что у нее нет ровным счетом никаких талантов, ни внешности, словом, ничего от таких-то родителей не досталось! — продолжал Павел.

— Разве? — удивился следователь. — На мой взгляд, ваша сестра очень привлекательная девушка!

— Это теперь в ней появились и женственность, и чувственность, а раньше не наблюдалось ровным счетом ничего. Она жестоко страдала от уязвленного самолюбия и поэтому всегда требовала от родителей повышенного внимания. Между нами в детстве происходили частые конфликты, порой мы даже дрались, — молодой человек засмеялся, — теперь в это трудно поверить! Уход мамы стал для Веры трагедией. Хотя мы все были убиты горем! И мачеху она невзлюбила из-за того, что та украла у нее любовь и внимание отца. А ведь до того Ольга дружила с Верой, но вы, вероятно, знаете это?

— Отчасти. Прошу вас, продолжайте, это очень

важно! Кстати, а как вы с братом стали относиться к Ольге Николаевне после женитьбы вашего отца на ней?

— Если бы я сказал, что мы испытали восторг от этой новости, вы бы мне не поверили, ведь так? Конечно, мы поначалу никак не могли смириться с новой ролью Ольги Николаевны. Мы вредничали и делали разные пакости, какие только могла изобрести наша злая фантазия. Теперь стыдно вспоминать! И как она вытерпела наши издевательства? Нам хотелось довести ее до слез, чтобы она разрыдалась и убежала к своему папеньке! — Павел вздохнул. — Мы были идиотами! Это теперь я понимаю, как тяжело ей давались улыбка и доброе настроение каждый день! Она ведь не могла ни выпороть нас, ни наказать, ни пожаловаться мужу. Тогда бы ее сочли маленькой глупой неумехой, осмелившейся покуситься на трон незабвенной Горской. Она должна была доказать и себе, и всем окружающим, что является цельной самостоятельной личностью, а не пустоголовой куклой, позарившейся на громкое имя!

— Отрадно, что вы теперь так воспринимаете прошлое. Может, поподробнее расскажете о проказах? — следователь закурил и предложил собеседнику.

Тот занервничал, раскурил папиросу, но быстро затушил, почти не затянувшись.

— Я понимаю, почему задан этот вопрос. Конечно, в связи со странными обстоятельствами смерти отца, иначе отчего бы вы стали интересоваться дурацкой шуткой, игрой в привидения?

— Вы играли в привидения? — Кольцо дыма поплыло в потолок.

— Да, мы с Кирой решили в очередной раз навредить мачехе. Нарядились, как два шута, в балахоны, намалевали страшные лица и притаились под лестницей на даче. Когда Оля вышла, мы давай завывать и прыгать! То-то смеху было! Нам казалось, что повеселились мы чудесно, только...

— Что — только?

— Она испугалась и упала с лестницы, будучи в положении. Вот такие нелепые жестокие шутки! Я себе этого никогда не прощу! Позже дурь ушла, мы стали друзьями, большими друзьями, но стыд и ощущение вины остаются. Поэтому, когда ей стало совсем невмоготу в нашем доме и она замыслила уйти, я ей даже помогал. Пусть это мой грех перед отцом, но Оля вправе была поступить так, как она поступила. Только, пожалуй, больше я ни о чем говорить не стану, уж извините. Не хочется ворошить старое и грязное. Тем более что отца теперь нет, его имя осталось в истории, а там свои законы!

— Разумеется, это ваше право! Но как странно, что призраки, оказывается, присутствовали в доме и раньше! Да! Это все больше укрепляет меня в мысли о земном происхождении привидения, явившегося в момент смерти господина Извекова.

— Эта история такая таинственная, необъяснимая, я не знаю, что и думать! Бред какой-то!

— Позвольте последний вопросик?

— Извольте, — пожал плечами собеседник.

— А что собой, на ваш взгляд, представляет господин Трофимов? Что он за человек?

— Обычный человек, порядочный, умный, интересный, толковый.

— Умный, порядочный, а жену чужую увел! — съязвил Сердюков.

— Что с того, ведь он ухаживал за Ольгой еще до ее замужества. Вот старая страсть и вспыхнула!

— А может, это он посодействовал смерти господина Извекова, из ревности, скажем, или из-за того, что тот не хотел дать развод?

— Вряд ли, Трофимов разумен и осторожен, я говорил с ним несколько раз, он производит приятное впечатление. К тому же развод отец все равно бы Ольге дал, она имела на руках все козыри.

— О чем вы, о каких козырях?

— А это, простите, их супружеские тайны, — произнес Павел.

Вскоре Сердюков откланялся. Остановив извозчика и назвав ему свой адрес, следователь задумался: «Детские игры в привидения? Уж не обманываешь ли ты меня, дружок, притворяясь столь положительным молодым человеком? Но зачем ему убивать, каков мотив? И о каких-таких козырях идет речь?»

Глава 23

Вернувшись домой, Вера была неприятно поражена происшедшими переменами. Квартира теперь выглядела совершенно по-иному, тут царил новый, пока неведомый ей дух. Переставили мебель, перетянули стулья и диваны, повесили свежие портьеры. Другая хозяйская рука, другой взгляд. Прислуга приняла молодую хозяйку и слушалась ее беспрекословно. Везде чистота, порядок, ухоженность. Прямо как в операционной, недаром дочь врача! Но самые неожиданные и неприятные новости преподнесли Вере братья. Она не поверила собственным ушам, когда сначала Кирилл, а потом и Павел, обращаясь к мачехе, назвали ее «мама Оля». Быстро же вы, братцы, забыли родную-то мать! Дальше больше. Через пару дней девушка поняла, что существует и еще одно важное обстоятельство, о котором все знают. В семье ожидается прибавление! Мисс Томпсон, которая собиралась покинуть дом и искать новое место, так как ее подопечные уже стали почти взрослыми, уговорили остаться. Ведь ее услуги скоро снова понадобятся!

Одно осталось прежним. Отец снова, как и при Тамаре, проводил целые дни, запершись в своем кабинете. Творил. Он мог опять это себе позволить без помех, не отвлекаясь на низменный быт. Молодая жена с величайшим старанием и усердием взвалила на себя все домашние заботы. С раннего утра и допоздна она кружила по комнатам, хлопотала, вникала в бесконечные мелочи, опекала мальчиков, стоически снося их отвратительные проказы. Вениамин Александрович наслаждался воцарившимся покоем, порядком и уютом. О лучшем трудно было бы и мечтать. Жена, юная и трепетная, радовала его каждый день своей услужливостью, доброжелательностью, готовностью жертвовать собственными интересами ради него и детей. А главное — море любви и ласки, неземной нежности обрушилось на Извекова. Другой бы захлебнулся, но Вениамин Александрович был прекрасным пловцом в океане чувств.

Оля, когда поняла, что в положении, сначала испугалась. Нет, конечно, она обрадовалась, но ее одолевало беспокойство. Она пока еще с трудом приноравливалась к роли жены. А теперь родится малыш, который потребует всего ее внимания и любви! С каждым днем ей становилось все труднее вставать поутру, заниматься хозяйством, ее тошнило и кружилась голова. Пару раз Оля упала в обморок. Когда это случилось впервые, то, открыв глаза, она обнаружила себя лежащей на диване. Рядом сидел муж с недоуменным лицом.

— Кажется, очнулась! — сказал он, наклонясь к лицу жены. — Ну и напугала же ты нас! У Тамарочки такого никогда не было!

Оля отвернулась к стене, чтобы он не заметил слез обиды. При чем тут Тамарочка? Зачем опять поминать ее? И так беспрестанно слышалось: «Тамарочка никогда не заказывала отварной курицы к обеду». «У Тамары всегда цветы стояли на полу в больших вазах, а не на столе». «Тамара никогда не носила желтого цвета». «Мама не будила нас так рано!» «Тамара не любила гулять на островах, из-за этого и дачу пришлось купить». «Мать Тамары не часто нас навещала, а твой папенька приходит каждый день». «Дети при Тамаре спокойней были, надо уделять им больше внимания».

Зачем он говорит это постоянно, не замечая,

что тем самым унижает и обижает ее? Да, она не красавица «царица Тамара»! Но она тоже человек, со своими достоинствами, пусть не столь яркими! Раньше, будучи девушкой, она мечтала уподобиться своему кумиру Горской, теперь же образ покойной отравлял бедной Оле жизнь постоянными сравнениями не в ее пользу.

— Ты что, плачешь? — удивился муж. — Тебе больно? Я за отцом твоим послал, скоро будет!

— Мне больно, но не там, — Ольга сложила руки на животе. — У меня душа болит. Отчего вы все время сравниваете меня с Горской? Это невыносимо! Я не хочу и не могу стать такой, как она!

Она расплакалась еще сильней.

— Я знаю, в это время нервы совсем расшатаны! Прости, я, вероятно, делал это несознательно, я не хотел тебя обидеть! Прости меня, болвана эдакого!

Извеков нежно поцеловал жену, и в его словах слышалось столько искреннего раскаяния, что Оля, всхлипнув, ответила на его поцелуй.

Однако тень покойной по-прежнему витала над ней, и если в доме теперь сравнения звучали реже, то все окружение Извекова, прежде хорошо знавшее Тамару Георгиевну и часто бывавшее в доме, постоянно занималось сопоставлением двух жен известного романиста. Ольга Николаевна совершала не очень приятные для себя открытия. Оказалось, что приятельницы Горской и Извекова намерены посещать знакомый им дом, как и раньше, несмотря на перемену хозяйки. Своих подруг из гимназического девичьего прошлого Оля растеряла, не посмела ввести их в свою новую жизнь, а других не было. Уж больно неискренними, лицемерными и завистливыми казались ей все приходящие. Многие из них имели известность в мире муз, и она должна была гордиться знакомством с ними, но внутреннее чувство заставляло Ольгу Николаевну постоянно быть начеку, не позволять себе искренности. Чаще всего приходили дамы — поэтессы, художницы, музыкантши — и, располагаясь в гостиной с чашкой дымящегося кофе и папиросой, с удовольствием рассказывали хозяйке дома последние сплетни. Не забывая при этом пересказать и все гадости, и досужие измышления, которые говорили за глаза о молодой Извековой.

— Нет, вы только послушайте, милая, что заявила эта злоязыкая В-цкая! Извеков, мол, так утомился от популярности своей первой жены, затмившей его собственную, что на сей раз решил взять невзрачную серую мышь, которая будет тихонько растить его несносных избалованных детей, смотреть ему в рот и слушать его божественные откровения! Ну, каково!

После подобных бесед Оле хотелось выть от унижения и досады. Она была бы и рада не пускать «доброжелателей» на порог, да невозможно, еще хуже говорить станут. И Вениамин Александрович будет недоволен.

Извекову и впрямь было неприятно осознавать, что его вторая жена явно не произвела в свете должного впечатления. Впрочем, он предполагал нечто подобное. Ведь трудно кому-либо соперничать с неземной красотой покойной Тамары. В первые дни после венчания дверь их квартиры не закрывалась. Горничная не успевала принимать зонты, пальто и шляпы. Приходили все новые визитеры поздравить и поближе рассмотреть новобрачную.

«Мила, очень мила, но куда ей до «царицы Тамары»! — читалось в их взглядах.

Ко всему прочему, портрет прежней хозяйки все еще висел на видном месте. Поэтому гости могли постоянно переводить взор с живой красоты на мертвую.

В начале лета вышел новый роман Извекова. По сему случаю предполагался большой прием. Оле предстояло тяжелое испытание.

— Они съедят меня своими взорами! Замучат разговорами с подковырками! — жаловалась она отцу. — Я изнемогаю от постоянного сравнения с Горской! Я уже ненавижу ее! Она заела мою жизнь!

Николай Алексеевич и без того давно пребывал в большой тревоге за дочь. Не нравилось ему отношение зятя к своей жене. Не было тут доброй жалости, не унижающей, а согревающей и успокаивающей. А ведь именно в таком отношении Оля сейчас особенно нуждалась. Миронову казалось, что его дочь живет в семье мужа, как солдат на передовой. Всегда начеку, всегда готова к неприятностям.

— Ничего, ничего, Олюшка! — пытался доктор утешить дочь. — Пустое это все, никчемное! Не думай ты о глупостях, думай о ребенке, не изводи себя по мелочам!

Но ведь из мелочей-то и состоит жизнь, вот в чем дело! Они как заноза: маленькая, а болит и жить не дает!

Оля накануне праздника так переживала, что с ней чуть горячка не случилась. Она тщательно продумала наряд, скрывавший оплывшую фигуру, долго сидела перед зеркалом, колдуя над пудрой, румянами, помадой. Приглашенный парикмахер соорудил на ее головке нимб из воздушных светлых волос. Глядя на отражение в зеркале, Оля даже осталась довольна собой. Не каждая женщина в ее положении выглядит столь привлекательно. Но внешность — это полдела. Гости должны быть довольны угощением, обслугой, светскими беседами. «Что ж, — сказала она себе, — я докажу вам всем, в том числе и тебе, милый мой Вениамин, что я не серая мышь!»

И ей это удалось! Надо было только преодолеть внутреннюю робость, некий барьер. Оказалось, что новая Извекова вовсе не глупа, только чуть стеснительна. Неплохая хозяйка, еще неопытная, но все придет со временем. Да, она из другого мира, она ходит по земле, а не витает в заоблачных творческих высях, как ее супруг. Что ж, это даже хорошо, кто-то должен твердо стоять на ногах и думать о хлебе насущном! Словом, прием прошел благополучно, может, без прежнего блеска, который придавала всему Горская, но гости уходили довольные, искренне благодарили хозяйку.

Уже вечером Извеков зашел пожелать жене доброй ночи. Оля, измотанная переживаниями, еще не спала. Она побледнела от усталости. Под глазами залегли тени.

— Ты утомилась, мой ангел, ложись скорей!

— Довольны ли вы, мой друг? Не опозорила ли я светлой памяти Тамары Георгиевны?

Вениамин Александрович оторопело уставился на жену. Впервые из ее уст он услышал нечто необычное. Ирония? Протест? Может ли такое случиться? Но ведь и мышки, хоть и малы, имеют острые зубки!

Глава 24

Доктор Миронов ехал в вагоне и нестерпимо страдал. Ему казалось, что поезд едва плетется. Если бы это было возможно, он сам бы побежал впереди паровоза. Нынче принесли телеграмму, что Оля оступилась и упала с лестницы. Как такое ужасное обстоятельство отразится на ребенке, да и на самой будущей мамаше? Доктор изнемогал. Мимо с издевательской медлительностью проплывали покойные пейзажи, которые в другое время всегда вызывали у него чувство умиротворения и радости. Одна станция, другая, третья... бесконечность! Николай Алексеевич прикрыл глаза. А когда открыл, уже пора было выходить. Слава богу! Недалеко от перрона его ждала коляска.

— Надо же! Удивительно! — раздался совсем

рядом знакомый резкий старческий голос. — И как это дорогой зятек подгадал, позаботился о старухе!

По ступеням, тяжело дыша и переваливаясь, спускалась Агриппина Марковна. За ней спешили горничная и носильщик с увесистой поклажей. В тот момент, когда доктор увидел старуху, она тоже его узнала.

— Ах, вот в чем дело! Это вовсе и не меня ждут, а вас, любезный Николай Алексеевич! А я-то, старая дура, решила, что зять мой наконец человеком стал, ко мне внимание и заботу проявлять начал! Не позволите ли вы мне с моей горничной составить вам компанию?

— Помилуйте, что за вопрос! — воскликнул доктор и стал подсаживать Горскую в коляску.

— Дочку навестить едете да воздухом подышать? — осведомилась Агриппина Марковна. — Только вид у вас, господин Миронов, не очень радостный.

Доктор поведал собеседнице о телеграмме. Та озабоченно покачала головой.

— Да! Нехорошо! Если бы она у вас покруглей была, помягче, скатилась бы, как шарик, и все дела. А тут ведь одни косточки! — Она снова покачала головой, украшенной соломенной шляпой с искусственными цветами. — Ничего, Бог милостив, обойдется!

Оля слышала, как приехали отец и старуха Горская, но не стала вставать с постели. Побоялась. Она все еще не могла опомниться от неожиданного испуга, от которого подкосились ноги, и она покатилась вниз, считая ступени. Мальчики выскочили из темноты под лестницей внезапно и очень громко закричали! Она не склонна видеть в их поступке злодейство. Обычные глупые детские шалости. Но ей было очень обидно. Ведь она по-доброму относилась к ним, пытаясь скрасить их сиротство своей любовью и привязанностью.

Позже, уже лежа в своей комнате, заливаясь слезами страха за дите и упиваясь горечью обиды, она слышала, как муж приступил к домашнему расследованию. А затем последовала и скорая расправа, судя по воплям юных преступников из кабинета. Неужели он их бьет? На сей раз у нее не возникло желания заступаться.

Между тем нежданный приезд бабушки, соскучившейся по внукам, поверг этих самых внуков в священный ужас. Наказание отца казалось просто жалкой прелюдией к тому, что последует от бабушки. Так и случилось. Агриппина Марковна, едва ступив на землю, тотчас ухватила обоих и увела прочь от дома, чтобы пострадавшая не слышала звуков расправы. Часа через полтора они вернулись, тихие и кроткие, ужасно несчастные, и забились в свои кровати даже без ужина. Вера, прокравшись к братьям, безуспешно пыталась узнать, из чего состояло наказание. Их молчание повергло ее в трепет. Сама же Вера, узрев бабку и Миронова, тотчас бросилась в комнату мачехи и стала всячески помогать и ухаживать за ней, чтобы, не дай бог, и ее не обвинили в злонамеренности.

— Как думаете, Николай Алексеевич, обойдется? — спросил зять у доктора, когда все поутихло, а дети и женщины улеглись спать.

Они стояли на террасе и курили в теплой ночной тишине.

— Что именно? — неприязненно спросил Миронов, прихлопнув на щеке комара.

— Как что? — опешил Извеков. — Падение злополучное отразится на исходе родов?

— Не только падение! — Николай Алексеевич явно настроился использовать случившееся для выяснения отношений с зятем.

— А что еще вы имеете в виду? — Вениамин Александрович закурил очередную папиросу.

Судя по тону тестя, разговор предстоял долгий.

— А то я имею в виду, любезный Вениамин Александрович, что просчитался я, опростоволосился на старости лет, позволив дочери за вас выйти! Не любите вы ее, не жалеете, детям позволяете мучить Олю! А ведь она вас так любит, нет, просто обожает! Не по-христиански, не по-мужски поступаете!

— Хоть вы и прекрасный доктор, господин Миронов, но тут вы ошиблись в диагнозе! — зло вскричал Извеков. — Сегодняшний случай — именно случай, и более ничего! Я отношусь к Ольге, как должно относиться мне в моем положении...

— Вот, вот! — перебил его Миронов. — «Мне... В моем положении...» Все только о себе! Чудовищный эгоизм! Душевная жестокость! То, что вы известный романист, никоим образом не выделяет вас среди других объектов любви. Миллиарды людей на планете любят друг друга просто так. Просто любят! Без чинов, званий, денег, известности! И моя бедная дочь достойна настоящей любви! А не подачек, которые вы ей бросаете!

— Это вы уж слишком! На вас неприятности повлияли, вы возбуждены и агрессивны, доктор! Да еще эта старая ведьма вам наговорила про меня, как всегда, черт ее принес!

— Вовсе нет, я давно за вами наблюдаю и хотел вам высказать, да не приходилось к случаю.

Они сухо разошлись, не пожав рук и не пожелав друг другу спокойной ночи. На другой день Оля с испугом заметила, что отец и муж не разговаривают.

— Папа, что произошло между тобой и Вениамином?

— Я счел своим долгом высказать твоему мужу собственные соображения на предмет ваших отношений.

— Бог мой! — простонала бедняжка.

Перед ее взором всплыла знакомая картина: Агриппина Марковна зло и яростно обличает зятя, стремясь опорочить его в глазах своей дочери.

Девочка родилась быстро, почти без мучений. Роды принимал старенький доктор, коллега отца, которого тот специально позвал для этого случая. Ожидая, пока все произойдет, Николай Алексеевич топтался под дверью спальни. Последний раз вот так же он томился, ожидая на свет свою Олю. Несколько раз подходил Извеков. Прислушается, отойдет к себе в кабинет. И всякий раз выходит оттуда все более и более умиротворенным. Один раз Миронов даже ринулся вслед за ним и успел заметить блеск стекла, мелькнувшего за дверцей шкапчика.

— Попиваете? — Доктор блеснул очками. — Страшно?

— Нет, я привык, много раз переживал подобное с Тамарой. — Извеков осекся. — А что до этого, — он мотнул головой в сторону спрятанной бутылки, — так то никого не касается, и вас в том числе, уважаемый тесть!

— Как знать! — Миронов вышел, сердито хлопнув дверью.

У него были дурные предчувствия, и они оправдались. Когда вынесли ребенка и они с опытным коллегой стали осматривать девочку, им сразу стало ясно, что ребенок — не жилец. Миронов застонал и сел, обхватив голову руками. В комнату, обустроенную под детскую, вошел Извеков.

— Вот! Полюбуйтесь! — вскричал Николай Алексеевич. — Вот плоды вашего пьянства! Больной, безнадежно больной ребенок!

— Что вы мелете! Как вы смеете мне такое говорить! — взревел Вениамин Александрович и бросился к новорожденной.

Та тихо попискивала, кривя махонький ротик. Крохотное красное личико искажала гримаса то ли боли, то ли неосознанной смертной тоски некрещеной души. Извеков отпрянул от дочери.

— Ложь, злобный навет! Посмотрите, ведь у меня есть и другие, здоровые дети! Что вы на это скажете?

— Я скажу, что мой опыт подтверждает вывод

о зависимости врожденных уродств у детей от пьющих родителей! Впрочем, о чем с вами толковать! Бесчувственная душа, безответственный человек!

Самые худшие ожидания его оправдались. Несчастное дите покинуло негостеприимный мир через неделю. Оля была безутешна. Она не могла поверить, что подобный ужас произошел именно с ней. К ее страданию примешивалась невыносимая боль от равнодушия окружающих. Кроме Николая Алексеевича, прочие члены семьи не очень печалились о смерти малышки. Муж, холодный и отстраненный, через несколько дней после похорон девочки заявил, что отныне он желал бы как можно реже видеться со своим тестем. Оля знала о разговоре и боялась его продолжения.

— Но я не могу не видеться с отцом!

— Ты можешь навещать его в вашем доме, — последовал ответ.

Прошло несколько месяцев. Боль утраты чуть поутихла. Уже не появлялось молоко, которым некого было кормить. Отец и муж по-прежнему не желали видеться. Оля разрывалась на части.

— Папа, вы погубите меня оба! Я не могу делить между вами свою любовь!

— Неужели ты так слепа и до сих пор не поняла, за кого вышла?

— Что об этом теперь говорить! Конечно, у Вениамина много недостатков, но я все еще люблю его! Я не знаю, прав ты или нет, обвиняя его в смерти нашей дочери! Не мучай меня, папа!

— Хорошо! Скоро твои мучения прекратятся! — Доктор обнял дочь, заледеневшую от ужасного предчувствия.

— Что? Какая еще напасть?! — пролепетала Оля.

— Вовсе никакая не напасть. Просто я решил присоединиться к Трофимову в Лондоне. Замечательные вещи он там делает! Двигает вперед науку. И мне рядом с ним место найдется!

— Ты поедешь в Лондон! — ахнула Оля. — Ты оставляешь меня?!

— Так лучше прежде всего именно для тебя, дружок! — Он поцеловал ее в макушку. — Вряд ли я могу теперь тебе чем-то помочь, а вносить сумятицу и раздвоенность в твою душу не желаю. Если захочешь, сама все решишь. А я, если жив буду, всегда примчусь к тебе по первому зову. Теперь, в век прогресса, это быстро!

— Так ты надолго? Но как же твои больные, твои пациенты?

— Ничего, слава богу, не в Тмутаракани живем, в столице. И без меня здесь много хороших лекарей!

Оля понимала, что отец для себя все давно решил и, видимо, уже списался с Трофимовым. Но как она будет теперь одинока!

Через месяц она провожала Николая Алексеевича в порту. Доктор долго махал платком с палубы парохода. Оля все пыталась его разглядеть, но фигура становилась все меньше, а контуры корабля — все более расплывчатыми. В душе стало пусто и холодно. Она поехала на извозчике домой, но по дороге передумала и завернула к Агриппине Марковне. Более не существовало для нее на свете души, к которой можно прислониться.

Часть вторая

Глава 25

Иван Пепелищев, посвистывая, легкой походкой вышел из редакции. Что ж, очерк хорош, может, даже очень хорош. Завтра уже выйдет, будут читать и почти наверняка хвалить. Последнее время у него вообще все чаще получалось задуманное, перо становилось все легче, все острее. Однако отчего-то не наступало радостного спокойствия человека, нашедшего себя. Постоянная внутренняя неудовлетворенность изъедала душу литератора. Хотелось большего. Невероятной славы, грандиозного успеха. Узнавания на улицах. Отчего все это присутствует, и даже с избытком, в жизни Извекова? Пепелищев притормозил, перешел на спокойный шаг и повернул с Литейного проспекта на Невский. Навстречу катила разношерстная столичная толпа. Мчались лихачи, трусили извозчики. Медленно проползли голубые вагоны конки, щедро увешанные пассажирами. Звякнул колокол, конка остановилась. Иван, сам от себя этого не ожидая, вдруг оказался рядом с кондуктором и протянул ему три копейки. Сев на лавку, он стал разглядывать пассажиров, полагая подглядеть интересный типаж, характер, физиономию. Работники, курсистки, студенты, прислуга, старые и молодые, веселые и унылые, гомон, разговоры. Мимо пробегал нарядный шумный многоликий Невский. Бесчисленные магазины, гостиницы, рестораны, конторы банков и страховых обществ, вывески, реклама, приказчики, дворники, городовые. Бог ты мой, что бы подумал царь Петр, ежели бы смог сойти с могучего постамента и глянуть на свое детище хоть одним глазком? Нет, не получится из нас Европы! Какой-то дух азиатчины присутствует во всем! Почему-то от своих мыслей Пепелищев пришел в еще большее раздражение. Отчего, неужто вид суетливого Невского повергнул его в ипохондрию? Отнюдь! Иван признался себе, что не это его гложет, а зависть, обычная, банальная зависть к удачливому товарищу. Неприятно завидовать и сознавать это. Но как можно спокойно перенести чужую удачу? Что такое его романы? Пустота, морализаторство, пошлость, безвкусие! Но публике нравится, книги идут нарасхват! А вот он, Пепелищев, вынашивает каждую мысль, каждое слово, и что в итоге? Небольшая кучка ценителей словесности почмокает языком, мол, да, хорошо, талантливо написано, но сложно, не всякому понятно. Пробовал и Иван дерзать на поприще дешевой бульварной литературы. Куда там, не идет сюжет, не придумать глупостей о неразделенной любви или страшных убийствах!

Кстати, о любви. Подумать только, и тут Вениамину удача в руки! Жениться на звезде! Слыть добродетельным семьянином, на самом деле являясь любителем юбок и горьким пьяницей! И второй раз жениться столь удачно! Милая девушка, юный цветок! Пепелищева потрясла невеста на свадьбе. Таких счастливых и любящих глаз он не видел никогда в жизни!

При мысли о госпоже Извековой Пепелищев даже заулыбался про себя. Она притягивала его, он часто думал о ней, а в последнее время эти мысли стали неотступными. Неужели она и впрямь столь добродетельна? Не может быть, чтобы после нескольких лет замужества за Вениамином, узнав темные стороны его существа, она не померкла душой! Пепелищев частенько захаживал к Извековым и всегда исподволь наблюдал за супругами. Он видел, как потихоньку потухали Олины глаза, как уходили из них восторг и чувственность. Он ждал, ждал своего часа, караулил ослабевшую жертву. Настанет миг, и он подхватит ее, обессилевшую и не способную к сопротивлению, утащит в свой уголок и насладится ею. И тогда наступит миг великого торжества. Олимпийский бог получит ветвистые рога! Смешон же он будет в своем мнимом величии!

Кондуктор ударил в колокол, остановка. Народ шумно задвигался. Пепелищева грубо пихнули локтем. Это вывело его из приятной задумчивости. Он решил, что отдал дань дешевому демократизму, спустился по лесенке империала, огляделся вокруг и кликнул извозчика. Теперь путь его лежал на Каменноостровский проспект.

Вера слышала, что пришел Пепелищев. Она не стала по обыкновению выбегать встречать его, наоборот, осталась сидеть у себя, пережидая бешеное сердцебиение. Он был два дня тому назад и вот опять пришел. На прошлой неделе ездил с ними гулять на острова, был очень мил, играл с нею, бегал взапуски и нарвал букетик цветов. Цветки завяли, но девушка бережно сложила их между страницами книги и засушила. Вера вся затрепетала от воспоминаний. Когда их руки случайно соприкасались, ей казалось, что она умрет, не вынесет накала своих переживаний. Неужели? Боже ты мой, неужели Господь услышал ее молитвы и Иван будет принадлежать ей? Вера прикрыла глаза. Да, это любовь, она теперь знала точно. Утонув в своем чувстве, она стала хорошо понимать Олю. Ведь та так же безумно любила их отца, когда выходила за него. Поэтому в последнее время их отношения совсем наладились и стали дружескими, как прежде.

Пришла горничная звать барышню в гостиную. Вера поспешно поправила волосы, впрочем, и без того они были хороши. Глянула в зеркало. Она, конечно, не мама, но и ее есть за что полюбить!

Пепелищев, небрежно развалясь в кресле, о чем-то весело беседовал с Ольгой Николаевной. При виде девушки он легко подскочил и чмокнул ее ладошку.

— Милая Вера Вениаминовна! Вы подобны свежему утру!

Вера ответила ему благодарным взором. Ей показалось, что и в глазах гостя мелькнула некая загадочная искра. Ольга улыбалась, внимательно разглядывая гостя. Пепелищев что-то зачастил в последнее время. Раньше приходил раз в неделю, а теперь чуть ли не каждый день. Приносит букеты и ей, и Вере, маленькие безделушки, сопровождает семейство на прогулки и в театр. Уж сколько раз случалось, что Вениамин откажется ехать, запрется у себя в кабинете, а Пепелищев тут как тут! И Вера сама на себя не похожа стала. Не кусается, не сверкает глазами, как дикая кошка, вроде и погладить ее можно. Что бы все это значило? Может, Иван в женихи метит? Староват, конечно, но это не беда. Талантлив, привлекателен. Но что там, внутри? Ольга Николаевна теперь знала, насколько иногда форма расходится с содержанием.

— Что, наш гений не соблаговолит выйти и осчастливить подданных своим божественным появлением? — поинтересовался гость.

— А нашего общества вам мало? — улыбаясь, спросила любезная хозяйка. — Впрочем, правды вы все равно не скажете! Вениамин Александрович сегодня может и не появиться перед нами. У него творческий кризис. А в такое время лучше его не беспокоить.

— Понимаю, понимаю. Тогда предлагаю прекрасным дамам в воскресенье прогуляться на природе.

— Вот досада! Мы собирались съезжать на дачу, да все тянули из-за Вениамина. Хотя вы можете составить нам компанию!

На том и порешили. После отъезда Пепелищева Извекова, видя, что Вера неподвижно стоит и смотрит в окно, обняла ее за плечи:

— Веруша, мне кажется, с тобой что-то происходит?

Вера вздрогнула. Она не отличалась открытостью, не умела изливать душу и подчас очень от этого страдала. Сейчас она сомневалась, сказать или не сказать?

— Хочешь, я помогу тебе? Ты смущаешься меня, но я твой друг и была им всегда! Ты влюблена, влюблена в Пепелищева? Я угадала?

— Да, — последовал едва слышный ответ.

Вера порозовела и уткнулась мачехе в грудь.

— Мне кажется иногда, что я схожу с ума! Я думаю о нем постоянно, он всегда со мной! Я засыпаю и просыпаюсь с ним перед глазами! Я всегда любила его, во всяком случае, очень давно, но только не понимала этого!

Оля гладила девушку по голове, и ей хотелось плакать. Как знакомы ей были Верины переживания! Ведь совсем недавно она была такой же влюбленной наивной глупышкой, и мир представлялся ярким и безоблачным!

— Вера! Это великое счастье — любить! Мне кажется, что Иван Федорович тоже испытывает нечто подобное!

— Правда? Ты так думаешь? — Вера с надеждой заглянула мачехе в лицо.

— Да! Иначе зачем он ездит к нам чуть ли не каждый день? И эти знаки внимания... Нет, я уверена, что он тоже влюблен! Я думаю, что на даче все и свершится. Он должен объясниться!

Оля и не подозревала, как она окажется права!

Глава 26

— Вениамин! Вениамин! — Ольга подергала ручку двери.

Молчание. Ни звука. Она еще раз дернула, но крепкая дверь даже не скрипнула. Извекова пожала плечами и отошла. Теперь она уже не пугалась и не переживала, когда муж, запершись в кабинете, проводил там по нескольку дней.

Впервые это случилось почти сразу после медового месяца. Оля пребывала еще в новых впечатлениях, парила в облаках, упивалась чувственностью и страстностью мужа. Как-то раз, а дело близилось к обеду, она вот так, подойдя к двери кабинета, обнаружила ее наглухо запертой. На стук муж не ответил, не отозвался и на ее встревоженный голос.

Через полчаса молодая жена билась под дверью в слезах, предполагая худшее.

— Надо дворника позвать, дверь взломать! — рыдала она.

Мисс Томпсон, стоявшая рядом, проявляла поразительное присутствие духа и спартанское спокойствие.

— С ним что-то приключилось! — продолжала убиваться Ольга.

— Пожалуй, «приключилось»! — согласилась гувернантка. — Только не теперь, а раньше!

Оля не поняла, о чем толкует собеседница.

— Я боюсь, не случилось ли у него удара! — стонала молодая женщина. — Да бегите же за дворником!

Но гувернантка не двинулась с места. И в тот миг, когда Оля хотела бежать сама, дверь распахнулась. Супруг в домашнем халате, взъерошенный и злой, возник на пороге.

— Что, черт побери, тут происходит! — прорычал он, держась за дверь.

Оля оторопело взирала на этого человека. Полно! Он ли это? Заплывшее лицо, мутный взор, всклокоченные волосы. И ужасный, кислый запах изо рта. Она отшатнулась.

— Вениамин Александрович, — пролепетала жена, — ты здоров ли?

— Вполне, — ответил он с неприязнью.

— Ты не открывал, я испугалась.

— Глупости. Я спал.

— Спал! Но я... мы.. тут уже полчаса стучим и кричим...

— Ступай, ради бога, и не мешай мне впредь!

Оля совсем потерялась. Таким тоном он не разговаривал с ней никогда!

— Вы выйдете к обеду? — робко спросила она.

Муж раздраженно кивнул и захлопнул перед ней дверь. Оля беспомощно оглянулась. Мисс Томпсон явно испытывала неловкость от своего присутствия.

— Что это? — спросила Оля.

— «Удар», мадам, — изрекла гувернантка и поспешила прочь.

Извеков вышел к столу, когда все уже приступили к трапезе. Глянув на тарелку, он отшвырнул ее прочь.

— Почему сегодня подается какая-то ерунда?

Что это, телятина? Отчего нет котлет, простых жареных котлет?

— Помилуйте, все как вы любите! Как вы хотели... телятина с морковью, — пролепетала Ольга.

Хозяин дома обвел стол грозным взором. По-видимому, это не предвещало ничего хорошего. Мальчики вжали головы в плечи и готовы были скользнуть под скатерть. Вера сидела, не поднимая глаз от тарелки, боясь даже смотреть в сторону отца. Судя по реакции детей, Оля поняла, что такое уже случалось и для домашних не новость. Только она одна была новым зрителем безобразного спектакля. И он состоялся. Досталось каждому. Через десять минут Кирилл получил подзатыльник и уткнулся носом в тарелку. Павла и вовсе выставили из-за стола. Вера не стала дожидаться резкостей и поспешила вон. И только тут Олю осенило.

— Боже милостивый, да вы пьяны! Совсем пьяны! — Она всплеснула руками и уставилась на мужа, точно увидела его новыми глазами.

Мисс Томпсон вздохнула и едва заметно с удовлетворением кивнула. Покровы сорваны, герой развенчан!

— А вот это, матушка, мое дело, и вас вовсе не касается! Или вы, как ваш папенька, собираетесь мне указывать, как вести себя в собственном доме? — И вилка полетела на пол.

Оля побелела. Мисс Томпсон поспешно выталкивала мальчиков из столовой, не годится им видеть унижение мачехи. Извеков еще что-то прохрипел — злое, обидное, гадкое. Ольга зажала уши и побежала в спальню. Вот оно, то, о чем пыталась предупредить ее Агриппина Марковна! Как страшно и как мерзко! Оля застонала и заплакала. Что делать, где искать помощи? И хватит ли у нее сил, терпения и любви перебороть порок и спасти любимого человека? В своей любви она не сомневалась, правда, не предполагая, какие еще испытания ей придется выдержать.

В коридоре раздались гулкие шаги мужа. Наивная, она решила, что он, обуреваемый раскаянием, спешит примириться! Однако Извеков, ввалившись без стука, ухватил жену и, швырнув на постель, овладел ею, грубо, быстро, как животное. Если бы не дети, она, наверное, закричала бы на весь дом. После его ухода Оля не могла опомниться и все порывалась уйти тотчас же обратно, к отцу. Как мог один человек являться в двух, столь разительно отличающихся ипостасях? И какой из них подлинный? И как теперь ей жить с эдакой мерзостью?

Но самым удивительным оказалось следующее утро. Ольга уже начала собирать вещи, чтобы покинуть супруга навсегда, когда тот явился к ней как ни в чем не бывало. Она поначалу не поверила, но потом ее изумлению не было границ. Он не помнил вчерашнего дня! И когда она, заливаясь слезами и задыхаясь от гнева, стала пересказывать ему его злодейства, Извеков искренне расстроился. Вениамин Александрович, как и полагается в подобных случаях, пал на колени, долго молил о прощении и клялся всеми святыми, что отныне никода... и наконец был прощен. Правда, когда вечером он пришел в спальню жены, она испуганно натянула одеяло до подбородка и смотрела на него скорее с ужасом, а не с обожанием и страстью. Извеков предпочел ретироваться, и ему еще долго пришлось добиваться ее доверия и нежности.

Тогда все это случилось в первый раз, а затем последовали и иные разы. Оля поначалу убивалась, страдала, стыдила его, молила, но все без толку. А когда умерла девочка, она перестала противиться злу. И теперь, когда Извеков уединялся со своей стеклянной подругой, в доме говорили, что у папы творческий кризис, и воспринимали происходящее как печальную неизбежность. Творческая, нервная натура! Художник слаб пред серостью обыденности! Он уносится в иной мир, мир грез и своих героев, иногда помогая родиться вдохновению общеупотребимым способом.

Глава 27

Вера понапрасну прождала от Пепелищева каких-то особых знаков внимания. День прошел и не принес ровным счетом ничего. Но впереди еще был вечер, и девушка уповала на романтику летней ночи. Когда еще объясняться поэту, как не в ночи под луной? Все предшествующие поездке дни она провела в лихорадке и мечтах. То она видела себя под венцом, то рядом с мужем в окружении прелестных темноволосых и горбоносеньких малюток. То Иван грезился ей на коленях перед ней, а то представлялся миг сладостных поцелуев, да так явно, что голова шла кругом! Вера уже тысячу раз приложила свое имя-отчество к его фамилии. Жаль, конечно, расставаться с папочкиной известной фамилией, но ведь и Иван не последний человек в литературе! Впрочем, можно обзавестись и двойной, Пепелищева-Извекова или Извекова-Пепелищева. Пожалуй, второй вариант благозвучней. Девушка мысленно примерила свадебное платье. А ведь еще сохранилось мамино! Вот будет здорово! В газетах напишут, что дочь известного романиста венчалась в том самом платье, в котором стояла перед алтарем ее легендарная мать!

Упиваясь такими картинами, Вера, однако, заметила, что вечер уже совсем сгустился, а Пепелищев так и не подал ей ни единого намека на приватное свидание. Она безрезультатно выглядывала в окно, и вдруг в темноте что-то мелькнуло. Она вся напряглась, ожидая услышать шепот, зовущий ее. Вместо этого Вера разглядела Ивана, но не одного. Рядом с ним шла женщина. Боже милосердный! Кто это? Глаза не подвели девушку. Мачеха! Они быстро двигались в сторону от дома, по направлению к пруду.

Девушка отпрянула от окна и села на стул. Что бы это значило? В доме все спят, почему они уединились? Вероятно, Пепелищев не решился поговорить с самой Верой и хочет попросить ее руки через Ольгу или посоветоваться с ней, как это сделать поделикатней, да так, чтобы и Вера согласилась, и отец не противился. Мало ли что у него на уме. Нехороший он стал в последнее время, иногда как будто не в себе. Вера поморщилась при мысли об отце. Она обожала его по-прежнему, но к этому чувству прибавилось нечто, чего она не могла понять. Ее любовь уподобилась потускневшему золоту, которое надо сильно оттирать, чтобы снова увидеть его несравненный блеск.

Ну а если и впрямь Пепелищев захотел переговорить с мачехой о Вере, тогда... Дальше она уже не думала, а, набросив на ходу шаль, стремительно и бесшумно выбежала из дома.

— Так что такого срочного и тайного вы хотели мне поведать, любезный Иван Федорович, — спросила Ольга Николаевна, кутаясь в теплую вязаную кофту. — Прохладно!

Она поежилась и присела на кособокую скамейку. Пепелищев стоял рядом и мял пальцами папиросу, раздумывая, закурить или нет.

— Ночь, сейчас луна выйдет, сплошная романтика! Жаль, что нам уже не по восемнадцать лет! — воскликнула Ольга.

Окружающий пейзаж и впрямь очаровывал. Фиолетовые тени окутывали деревья и кусты, придавая им загадочный, жутковатый вид. Ветер стих, и единственным движением в воздухе было кружение мошкары и комаров. Упоительный аромат цветущего табака долетал с клумб неподалеку. Ночная мгла придавала Ольге неизъяснимую прелесть. Иван невольно залюбовался ее изящным профилем, светлыми завитками волос.

— Да, я действительно отчаянно сожалею, что не знал вас в то время, когда вам было восемнадцать. Тогда и я бы посватался к вам!

7 – 2405

— Давно это было! — засмеялась Оля, полагая, что сказанное Пепелищевым надо понимать как изящный комплимент, вступление к разговору. — Только ведь вы, вероятно, не обо мне говорить хотите, а о другой особе восемнадцати годов?

И она лукаво погрозила ему пальцем. Но Пепелищев смотрел на собеседницу с искренним недоумением.

— Другая особа восемнадцати годов? — Его брови поползли вверх. — Мне кажется, что мы не понимаем друг друга, Ольга Николаевна. Я хотел говорить с вами только о вас.

— Как обо мне? — обомлела Ольга. — Разве вы не о Вере хотели поговорить?

— Вере? При чем тут Вера?

— А разве вы не намеревались объясниться и просить ее руки? — упавшим голосом пролепетала Ольга Николаевна.

— Святые угодники! — вскричал Иван. — Неужто вы действительно ничего не видите вокруг себя? Нежели вы более не ощущаете себя женщиной, возлюбленной, желанной? Только жена, только мать, хозяйка. Дом, заботы... Неужели это все, конец мечтаниям и чувствам? Ваше сердце заперто, наглухо замуровано?

— Отчего же? Но только я не пойму... при чем тут я, мои чувства? Я видела, что вы ездите к нам постоянно, оказываете девушке знаки внимания, мне казалось...

— Так я к вам ездил! Вашего внимания добивался, вашей любви, Ольга Николаевна! — Пепелищев резко схватил ее за руки, но она испуганно вырвалась и вскочила со скамейки.

— Вы с ума сошли, господин Пепелищев! Опомнитесь! И как вам не совестно! Я замужем. Я люблю своего мужа... — Она сказала это и запнулась, словно засомневалась.

— Нет, нет! Ложь! Лицемерие! Нет уже никакой любви меж вами! Все прах и тлен! Вы обманываетесь, Оля! Он погубит вас, как и Горскую! Он выпьет вас по капле! Я, только я, люблю вас самой искренней и преданной любовью, какая только возможна на земле!

Оля с округлившимися глазами отступила назад и уперлась спиной в дерево. Иван обхватил ее вместе со стволом, пытаясь найти губы. И в этот миг раздался треск сломавшегося сучка. Пепелищев оглянулся. Позади среди мрака он обнаружил Веру, застывшую с ужасом в глазах. Вышедшая так некстати луна осветила место действия будто электрическим светом.

— Вера? — в один голос воскликнули Пепелищев и Ольга.

— Ты... ты давно гуляешь? — Оля пыталась высвободиться из объятий Ивана и понять, какую часть разговора девушке удалось услышать.

— А! — простонала Вера и метнулась в темноту под деревьями.

Через мгновение ее платье уже мелькало в направлении пруда.

— О господи! Она к пруду бежит! — закричала Извекова, и они оба бросились за девушкой.

Вера мчалась, не разбирая дороги. После увиденного и услышанного жизнь потеряла смысл. Ей жизнь, полная подлого обмана и лжи, не нужна. Сейчас она положит конец своим мучениям!

Как лань, Вера стремительно вылетела на бережок пруда и, не останавливаясь, помня, что тут самое глубокое место, прыгнула вниз. Темная вода сомкнулась над ее головой, но в тот же миг на берег выскочил Пепелищев. Он увидел место, где расходились круги, и без промедления нырнул туда же.

Когда запыхавшаяся, в разорванном от падения платье, плачущая от ужаса Оля прибежала к пруду, Иван уже вытащил девушку на берег. Вера нахлебалась воды, но не задохнулась и не покалечилась. Она была в сознании, и ее рвало тинистой водой.

— Хотели чистить и углублять пруд, да, слава богу, руки не дошли! — воскликнула Оля и хотела обнять спасенную падчерицу, но та яростно оттолкнула ее.

Оля обессиленно опустилась на землю. Ясно! Война объявлена! Вера никогда не поверит, что для нее откровения Пепелищева стали полной неожиданностью, что между ними не существовало тайного романа и Ольга никоим образом не поощряла чувств незадачливого ухажера. Пепелищев хотел закурить, да папиросы в кармане все намокли. Он выругался и, отойдя в сторону, стал выливать воду из ботинок. Как по-идиотски все вышло! Как невовремя явилась эта истеричная самовлюбленная девчонка! А ведь, когда он признался Ольге в любви, он не соврал. Именно в то мгновение Иван понял, что злая игра закончилась, превратившись в настоящее чувство.

Глава 28

Когда мальчик становится уже не мальчиком, но мужем? Ольга Николаевна и не заметила, как два сорванца — непоседы, непослушные мальчишки — превратились в гимназистов, в положенный срок Павел благополучно поступил учиться в Петербургский университет, метил в инженеры-путейцы, а Кирилл, мечтая о военной карьере, закончил Михайловское училище. По протекции отца он остался в Петербургском гарнизоне и вел жизнь молодого блестящего офицера. Обоих братьев теперь невозможно было застать дома. Оля подозревала, как происходит становление светского человека, взрослого мужчины, но не решалась выступать в роли строгой благонравной матери. Слава богу, от прежней конфронтации остались одни воспоминания. Но они многому научили мачеху. Определились некие границы, за которые она не могла переступать, не рискуя потерять дружеское расположения юношей. Извекова никогда не поучала, как надобно правильно поступать, не совала нос в их тайны, не докучала нудными нотациями. Постепенно прежний ледок растаял, молодые люди увидели в жене отца близкого друга, товарища, «жилетку», в которую можно поплакаться. Отец был для них совершенно далек и недоступен, а мачеха стала хранительницей юношеских тайн и врачевателем взрослеющих душ. Ольга Николаевна дорожила ценными приобретениями, ведь на это ушли семь лет ее жизни с Извековым.

Мальчики выросли славные! Горская на небесах должна остаться довольна воспитанием своих детей. Да и Агриппина Марковна, отправившаяся вслед за своей дочерью, пока жива была, хвалила Ольгу и все меньше бранила внуков. Старший, Кирилл, унаследовал материнскую красоту. Ему больше других досталось ее неотразимости, обаяния и притягательности. Только в мужском облике все черты покойной красавицы раскрывались по-новому, необычно. А уж когда золотые офицерские погоны легли на плечи молодого человека, он превратился в пристальный объект женского внимания. Кирилл, веселый и жизнерадостный, с ясной улыбкой и сияющими глазами, как-то особенно был дорог Ольге Николаевне. Она никогда явно не выделяла из детей кого-то, но в душе имела необъяснимую привязанность к старшему пасынку. Кирилл теперь, когда с детскими шалостями было покончено, относился к мачехе подчеркнуто предупредительно и нежно, всякий раз с удовольствием называя ее «мама Оля», что неизменно трогало ее душу. За ним, его становлением и взрослением Ольга Николаевна следила с особой тревогой, уж очень ранимым и бескомпромиссным вырос старший из сыновей Извекова.

Служба в полку — дело хлопотное, трудное, но еще важнее для молодого офицера внешний лоск и неписаные законы светской жизни, которые переступить без потери уважения товарищей и доброй репутации невозможно. На поддержание достойной жизни требовалось немыслимое количество денег, поэтому приходилось, увы, постоянно прибегать к отцовской помощи. Нельзя посещать затрапезный ресторан, пожалуйте только в «Медведь». Нельзя сидеть на дешевой галерке, извольте только в партер. А если случится букет даме послать, то приготовься выложить чуть ли не все свое жалованье! Но Кирилл не грустил, он знал, что жизнь — яркая и длинная, что молодость — хоть и не богата, да весела. Зато уж потом он свое возьмет! И ему непременно повезет в жизни! Жаль только, что император — миротворец, войн нигде никаких не ведется, а то бы он, Кирилл, послужил Отечеству! Как чудно распорядилась судьба многими в 1812 году! В тридцать лет — генерал, правда, грозили ранения или, быть может, смерть, но какая! Геройская, на поле брани, под пулями противника, со знаменем, на глазах боевых товарищей!

Под Рождество молодой Извеков отправился в Михайловский театр. Давали модную французскую пьесу. Кирилла пьянила атмосфера сценического действа, радостного ожидания, который испытывает зритель, перед тем как откроют занавес, праздничное дефилирование в фойе. Тот же театр, но иной, со своими примадоннами и героями-любовниками. Вышагивая по натертому полу, ловя свое отражение в зеркалах, Кирилл с удовлетворением отмечал, что мундир сидит на нем преотлично, никакой лишней складочки, как влитой. Фигура статная, особенно если еще и голову вскинутой держать. Правда, он невысок, но крепок, ноги прямые, плечи достаточно широки. Хорош, без ложной скромности! И женщины ловят его взгляд, смотрят выразительно. Но нет, пока ни одна не тронула его сердца. Он скользит глазами по хорошеньким личикам, провожает взором иную туфельку. Рассылает улыбки и воздушные поцелуи, любезно кланяется в ответ. Пока это только игра. А впереди...

Навстречу по паркету плыла дама. По всему видно, что не девица, а именно молодая дама, она вышагивала уверенно, каждым жестом руки, обтянутой шелковой перчаткой, каждым поворотом головы она утверждала знание жизни и превосходство опытности над невинностью. Платье струилось, обтекая соблазнительные формы, загадочно шуршало шлейфом. Она приблизилась к молодому Извекову, и густое облако тяжелых сладких духов окутало его. Кирилл остолбенел.

Их представили друг другу. При упоминании известной фамилии нечто подобное узнаванию мелькнуло в лице госпожи Бархатовой, ведь это была именно она.

— Вы знакомы с моим отцом? — вежливо осведомился молодой человек.

— О, нет, я наслышана о его творчестве, но, как ни прискорбно, кажется, ничего не читала, —

произнесла новая знакомая приятным, чуть глуховатым голосом.

Матильда Карловна действительно книжек в руки не брала. Единственным, что она читала, были любовные послания от многочисленных поклонников да счета из магазинов. Она царственным жестом протянула руку, Кирилл склонился к скользкому шелку перчатки. Внушительный сапфир одного из колец многозначительно подмигнул юноше.

— Подумать только, я не знала, что у господина Извекова такой взрослый сын! На портретах писатель еще молодой! — улыбнулась Бархатова. — Вы уже служите, как я погляжу?

— Да, сударыня. — Кирилл щелкнул каблуками и поклонился.

Ему стало неприятно, что о нем говорят как о выросшем ребенке. Он гордился своим отцом, но все чаще папенькина известность мешала юноше быть самим собой. Просто Кириллом Извековым, а не сыном известных людей. Ну хоть фамилию меняй!

Между тем новая знакомая, покачивая бедрами, проследовала в свою ложу. Извеков как завороженный смотрел ей вслед и очнулся только от грубого толчка товарища, стоявшего рядом и познакомившего их.

— Извеков, очнись! Негоже так пялиться на даму!

Кирилл покраснел.

— Что, нравится? — продолжал товарищ. —

Только хороша Маша, да не наша! У нее поклонники и без тебя в очередь стоят! Поди уж весь Петербург перебывал в ее спальне!

И собеседник захохотал. Кирилла передернуло.

— Как ты смеешь плохо говорить о незнакомом человеке, о женщине?

— Это тебе она еще незнакома, милый Кира! Дамочка имеет своеобразную репутацию! Так что держись-ка ты подальше от нее! Нынче французская болезнь свирепствует! — добавил товарищ, понизив голос.

Кирилл еще больше покраснел и умолк. Его опыт общения с женщинами был очень невелик, в этом он отставал от своих друзей.

Прозвенел звонок, и публика поспешила на свои места. Кирилл, усевшись в кресло, тотчас же принялся искать Бархатову глазами. Он обнаружил ее в правой ложе бенуара. Она сидела, облокотясь на бархатное ограждение, и смотрела на молодого человека в упор. Их взгляды встретились, перекрестились, показалось, как будто молния метнулась между ними. Матильда чуть улыбнулась и отвела взор. Бедный юноша не мог смотреть на сцену. Так и просидел вполоборота до антракта. В перерыве Извеков поспешил в ложу новой знакомой. Там и без него присутствовало несколько соискателей внимания красотки. Он стоял позади Матильды Карловны. Волны томной неги расплывались вокруг. Поднятые волосы, оголенный затылок, несколько выбившихся из прически локонов — все возбуждало Кирилла чрезвычайно. Маленькое ушко украшал крупный бриллиант на золотом стебельке. Камень подрагивал от каждого движения хозяйки, дрожь пробирала и молодого безумца. Бархатова, чуть повернувшись, боковым зрением следила за молодым Извековым. Когда он уже собирался откланяться, она резко повернулась и, широко улыбаясь только ему, пригласила его составить ей компанию на прогулке в Летнем саду.

Кирилл выскочил из ложи и понял, что оставаться в театре бессмысленно. Он все равно не видел и не слышал, что происходило на сцене. Надо ехать к себе и собраться с мыслями. Когда Ольга Николаевна встретила пасынка, она испугалась.

— Кирюша, ты что же, пьян? — В голосе ее слышался ужас.

— Да, мама Оля, но без вина! — Он чмокнул ее в лоб.

— Кира, Кира! Будь осторожен! Не обманись, не принимай свои мечты за реальную жизнь! — только и сказала Ольга.

Она не хотела говорить, но опыт их старшей сестры оказался печален. После нелепой и безобразной сцены у пруда Пепелищев перестал ездить в дом своего друга. О попытке утопления Веры участники драмы умолчали, но о ее несбывшихся надеждах в семье стало известно. Девушка ушла в себя, еще больше прежнего замкнулась, а если что и вырывалось наружу, то эти смерчи эмоций сметали все на своем пути. Истерики и приступы дурного настроения дочери превратились в бич семьи Извекова.

Глава 29

Матильда открыла глаза и потянулась. Почему так хорошо на душе нынче? Ах да! Чудный мальчик, как приятно, как трогательно! Подумать только, она считала, что такие искренние души уже давным-давно перевелись! Она снова потянулась, словно кошка, и лениво поднялась с постели. Кружевная ночная сорочка, прозрачная и невесомая, была небрежно сброшена на пол. Матильда пристально рассматривала свое тело в большом овальном зеркале. За последние два года она пополнела, бедра и животик еще больше округлились, но и груди прибавилось! Однако все же придется поменять корсет! Намедни, когда горничная затягивала его, пытаясь придать фигуре хозяйки прежнюю стройность, Бархатова чуть не задохнулась! А это что еще, намек на второй подбородок? М-да!

Разглядывая себя, она снова и снова мысленно возвращалась к вчерашнему дню. Она ехала в изящном экипаже, укутанная в пушистую шубку. Морозец пощипывал щечки, придавая им свежесть и яркость розы. А Кирилл Извеков гарцевал рядом на великолепной гнедой лошади, поражая статью и выправкой. Он появлялся то с одной стороны, то с другой, наклонялся к ней, смешил, говорил приятные комплименты, да такие изысканные, недаром сын литератора! Они совершили несколько кругов по Летнему саду. Матильда хоть и замерзла, но ехать домой ужасно не хотела. Все же пришлось расстаться, уговорившись о следующем свидании.

Матильда накинула батистовый пеньюар и позвала горничную одеваться. Мысли о новом поклоннике не покидали ее. Как она устала от лицемерия, лжи и похоти, которые окружали ее после смерти мужа. Впрочем, она сознавала, что сама виновата, предпочла жить «свободно», не ограничивая себя ни моралью, ни условностями, полагая, что это и есть протест невинности, некогда проданной пороку по сходной цене. Одни мужчины хотели ее обольстительного тела, иные — денег, и никто не хотел ее души. Матильда и сама стала сомневаться, есть ли любовь на белом свете? Только подлинная любовь могла вернуть молодую женщину из мира порока и грязи на светлый путь добродетели. Да где же ее сыщешь, такую любовь? Матильда уже совсем отчаялась, как вдруг появились эти сияющие глаза, этот почти детский восторг, упоение ею! Да, он совсем ребенок, между ними разница почти в десять лет! Так и что с того? Она хотела его любить, она уже почти любила его!

Матильда засмеялась от этой мысли. Давно на душе не было так радостно и спокойно. Завтра они снова поедут гулять...

— Барыня! Гость пожаловали! — раздался испуганный голос горничной.

Кто мог пожаловать в такую рань! Матильда с неудовольствием приняла карточку, прочла, и блестящая картонка выскользнула из ее рук.

— Я не мог ждать еще целые сутки, я не спал, я понял, что не доживу до завтрашнего дня, если не увижу вас! — Ворвавшись, Кирилл, даже не заметил, что хозяйка дома почти раздета.

А когда заметил, оторопел, покраснел и замолчал. Но ведь его впустили! Он слышал, что многие дамы нынче очень вольны в нравах...

Матильда смотрела на него, почти не моргая, и этот остановившийся взгляд совсем парализовал юношу. Ему показалось, что сейчас он потеряет сознание, у него перехватило дыхание. И в этот миг прекрасная соблазнительница приподнялась и мягким движением увлекла его на кушетку. Он несмело прикоснулся к ее губам, в ответ она выпила его до дна. Окрыленный, он осыпал ее шею, плечи, а потом и пышную грудь неистовыми поцелуями. Она подталкивала его в нужном направлении, и Кирилл, пьяный от страсти, ринулся очертя голову — впрочем, головы тут уже не понадобилось — на самые высоты наслаждения.

Весь день они провели в спальне, предаваясь безумствам. Когда за окном спустилась ночь, он остался на ее широкой постели и, утомленный своими подвигами на любовном поприще, уснул в изнеможении.

Мати не спала. Она любовалась его лицом, едва прикасаясь к закрытым глазам губам. Вдруг его глаза открылись.

— Ты выйдешь за меня? Будешь моей женой?

Матильда хотела ответить, но слезы благодарности душили ее. Обхватив голову юноши, она снова и снова осыпала его поцелуями.

Глава 30

Юрий Бархатов, в очередной раз получив от ворот поворот, в недоумении потоптался на пороге и неуверенно двинулся прочь. Как следует сие понимать? Его не хотят принимать уже почти целый месяц! Конечно, у Матильды своенравный характер, они, бывало, ссорились и даже не общались некоторое время, но так долго не видеться еще не случалось. Да и в чем он провинился? Впрочем, не в нем дело! Недавно один из наблюдательных доброжелателей поделился с Бархатовым важными сведениями. Объект его желаний был замечен в обществе молодого офицера, который, по всему видно, совершенно без ума от страсти. Ну и что из того? Мало ли их, голубчиков, у нее перебывало, и ничего, иных уж нет, а те далече, как говорится. А Юрий тут как тут, переждал, перетомился — и опять на своем месте, любимый и единственный друг! Он уже привык к череде бесконечно меняющихся любовников Матильды, перестал бояться, дрожать, что кто-нибудь завладеет ее сердцем. Как можно завладеть тем, чего нет?

Предавшись размышлениям, он поехал к мамаше за советом. Та выслушала его и покачала головой. Судя по всему, дело осложнялось. Юрий получил указание немедленно добиваться личного свидания, а также неплохо бы и о противнике справки навести. Он снова ринулся на приступ крепости. На сей раз ему повезло, его впустили и осчастливили непродолжительной беседой, после которой несчастный совсем пал духом.

— Невнимательно слушает? Глаза с поволокой? Отвечает невпопад? — выпытывала мать. — Плохо дело, голубчик! Влюблена она по уши! А ты прохлопал, проспал, прозевал, недотепа!

Юрий чуть не плакал. За десять лет Матильдиного вдовства он так привык к чудесной игре, в которой он бесконечно добивается ее расположения, кажется, уже добился, нет, сорвалось, но не безнадежно... что теперь, когда все рушилось, он чувствовал себя ребенком, у которого отняли любимую игрушку. Но это полбеды. Главное, папенькины деньги уплывали в чужие руки! А он уж привык считать их своими, потому как полагал, что Матильда поиграет-поиграет, да и угомонится. Куда ей деваться с таким шлейфом порочной репутации!

Надо признать, что не только деньги привлекали Юрия. Сама Матильда влекла его как магнит, именно ее доступность, порочность придавали ей особенную притягательность. Но вот странно, шлюхой назвать ее как-то язык не поворачивался. Словно порок, но понарошку, вроде как ненастоящий. А разве такое бывает?

Думая о Матильде, Юрий совершенно уверился в мысли, что, если бы не столь неблаговидный брак, если бы замужество случилось обычным порядком, из Матильды Карловны получилась бы вполне заурядная и даже добродетельная мамаша и супруга.

И вот теперь конец? И все из-за сопляка, невесть откуда свалившегося на его голову? Надо узнать, кто он таков, да и поискать вокруг, вдруг да и найдется какая-нибудь пакость. Тогда и прижать молодца!

А в доме Извекова бушевал семейный скандал. Кирилл, явившись в кабинет к отцу, прямо с порога заявил, что намерен жениться. Оторвавшись от рукописи, Вениамин Александрович несколько мгновений жил переживаниями своих героев, но потом вынужден был опуститься на землю и погрузиться в заботы насущные.

— Что ж, похвально! Это придаст твоей жизни определенную упорядоченность. Во всяком случае, некой части жизни уж точно! — Он устало улыбнулся, сюжет не давался, рассыпался на части. — Правда, на мой взгляд, рановато, ну уж коли ты решил...

Извеков уже собирался вновь погрузиться в перипетии своих героев, как вдруг поднял голову:

— Кто же твоя избранница, мой друг?

— Госпожа Бархатова Матильда Карловна.

— Постой, вдова банкира Бархатова? — Вениамин Александрович оттолкнул от себя исписанные листки, да с такой неприязнью, как будто это и была его предполагаемая невестка. — Ты шутишь или действительно не знаешь, с кем тебя связала судьба?

— Папа, я предполагаю, что вы мне скажете. Я не столь глуп и наивен, как вы все думаете! И я не слеп! Да, госпожа Бархатова не невинная девица, да, ее жизнь полна превратностей и двусмысленностей, но она не виновата в том! Иногда человек не властен над своей судьбой, и на первый взгляд кажется, что ничего невозможно переменить. Но это только кажется! А если душа жаждет чистоты, покоя, любви, то она не погибла! Я протяну ей руку помощи, и мы вместе преодолеем все напасти! Мне не страшны наветы и злобные сплетни. Но мне очень горько, что и вы, умный и думающий человек, оказались во власти ханжества и двуличной морали! — Кирилл разволновался, кровь прилила к его лицу.

— По твоим словам я понял, что являюсь не единственным критиком твоего выбора, не так ли?

— Да, — нехотя признал сын, — я много выслушал в последние дни, но это ровным счетом ничего не меняет! Мое уважительное, подчеркиваю, уважительное отношение к госпоже Бархатовой остается неизменным.

— Твоя верность достойна восхищения, — с долей иронии промолвил отец. — Но представь, сейчас ты влюблен, жена кажется тебе истинным ангелом, а пройдет год, два, чувства притупятся, и все ее прежние ухажеры и развлечения особого рода станут неотъемлемой частью вашей семейной жизни. Поверь мне, мой мальчик! Даже благонравные девицы преподносят своим мужьям неприятные подарки в виде рогов, а что говорить о женщине со столь богатым прошлым!

— Но ведь вы сами-то женились на совсем юной девушке, не побоялись упомянутых рогов!

— С чего ты решил, что не побоялся? Всегда

боялся и боюсь, только Ольга Николаевна, слава богу, не дает мне повода! И потом, сынок, это сейчас ты пребываешь в любовной лихорадке, а когда поостынешь, тебя замучит ревность. Захочешь знать подробности. С кем, когда и прочее... Появится подозрительность, недоверие, отчуждение.

— Отец, ради бога! Вы не роман пишете, а говорите со своим сыном, — резко прервал его Кирилл. — Знаете ли вы Матильду Карловну лично?

Вениамин Александрович неопределенно пожал плечами и запахнул потуже домашний халат.

— Мы встречались в свете.

— И этого достаточно, чтобы составить представление о человеке? — яростно вскричал юноша.

— Безусловно, нет. Впрочем, наш разговор не приведет к хорошему результату. Давай отложим его пока.

— Вы уходите от прямого ответа, вы не хотите моего брака с Бархатовой, так?

— Так, — устало и раздраженно кивнул отец. — И настаиваю на своем решении. Поверь, я не желаю тебе зла!

— Я не нуждаюсь в подобных сентенциях!

— Зато нуждаешься в моих деньгах. И пока я содержу тебя, изволь считаться с моим мнением!

Разговор принял совсем дурной оборот. Кирилл отступил к двери и сжал кулаки.

— Тебя душит ярость, мой сын? Я унизил тебя, попрекнув деньгами? Или ты полагаешь существовать на деньги своей избранницы? Я слыхал, она богата!

— Нет, вы знаете, что я не так воспитан, чтобы стать альфонсом. Я буду служить, сделаю карьеру...

В это время за спиной молодого человека отворилась дверь и в кабинет вошла Ольга Николаевна.

— Оля, дружок, ты послушай, что Кирюша удумал, — начал Вениамин Александрович.

— Вы кричали на весь дом, я все слышала, — грустно ответила жена. — Не ссорьтесь, прошу вас! Вениамин, ты жесток и говоришь обидные вещи! А ты, Кирилл, поостынь и не торопись. Дай чувствам отстояться. Горячая голова не советчик в сложных делах!

— Мама Оля, и ты не сочувствуешь мне? — В голосе Кирилла звучало отчаяние.

— Мы слишком любим тебя, Кирилл, чтобы с легкостью согласиться на столь неоднозначный брак, — мягко ответила мачеха и хотела обнять юношу, но он тяжело вздохнул и стремительно выбежал вон.

Бархатова ждала возлюбленного с величайшим нетерпением. Он не сказал ей, что собирается говорить с родней, но она поняла это по его сосредоточенному выражению лица, когда он уходил. Она не предполагала счастливой развязки, однако в глубине души теплилась надежда на чудо. Чуда не произошло...

Она нежно провела ручкой по его взъерошенным волосам.

Кирилл только кивнул. Как объяснить причину такого решения, не оскорбив любимую?

— Они назвали меня порочной, падшей, пугали вас разницей в летах, моими будущими изменами, толпами любовников? — Мати заглянула в глаза Извекова.

Он чуть не плакал.

— Что ж, они правы. И вам стоит тысячу раз подумать, следует ли связывать жизнь с такой подозрительной особой, обремененной неблаговидной репутацией! Сколько вокруг невест, юных, чистейших, как горный хрусталь, под стать вам!

Она говорила с вызовом, но губы дрожали. Она хотела прогнать его и боялась, что он покинет ее навсегда.

— Не терзайте меня, Мати! Я не оставлю вас, не переменю своего решения! Я люблю вас такой, какая вы есть! И пусть вы сто раз плохая для окружающих, для меня вы лучше всех!

Она удрученно покачала головой:

— Милый, почему ты так поздно появился в моей жизни, когда она уже совсем испоганена и исковеркана?

— Еще не поздно! Мы начнем все сначала! С чистого листа, мы напишем повесть о нашей любви!

Что и говорить, сын литератора! Бери скорей перо в руки! Строчки уже ложатся на бумагу, поцелуи на жаркую кожу. Стоны страсти и слезы исступления. Смешение тел, единое дыхание, единое целое. Жаль, что повесть очень короткая.

Глава 31

Следователь Сердюков еще раз вернулся к показаниям полицейского доктора, оставившего подробнейшие рассуждения о предмете исследования. Из отчета следовало, что покойный писатель Извеков не отличался завидным здоровьем. Наоборот, его организм оказался изъеден пагубным воздействием алкоголя. Неумеренное питие привело в совершеннейшую негодность и сердце, и печень. Однако не плачевное состояние внутренних органов послужило причиной смерти, а сильнейшее нервное потрясение и последовавший за ним удар. Но что так потрясло покойного? Мог ли быть причиной ужасный испуг? Вполне допускается. Следов насилия обнаружено не было.

Получается, что причиной удара, погубившего писателя, мог послужить разговор, нечто, сказанное Извекову женой. Или видение призрака Горской? Или оба обстоятельства, вместе взятые. Возникает вопрос: они случайно совпали, эти обстоятельства, или нет? Одним словом, имел ли место сам факт убийства или происшедшее следует отнести к трагической случайности? Но тогда кого Извеков молил о пощаде?

Почему сын Павел и сама Ольга были уверены, что Извеков даст ей развод? Она предъявила ему ультиматум, шантажировала его, угрожала? Но что такого могла знать хрупкая, наивная и прямодушная женщина? Женщина, которая некогда страстно любила покойного, воспитала его детей.

И в конечном итоге покинула его ради молодого любовника!

Сердюков в очередной раз прибыл в квартиру писателя и, входя, приметил, как хозяйка подавила гримасу недовольства и раздражения. Ну еще бы, полиция толчется здесь каждый день, выглядывает и вынюхивает, кому это понравится! Следователь извинился за очередное вторжение и выразил желание еще раз просмотреть бумаги романиста. Записи, наброски, черновики, неоконченные вещи. Одним словом, все, к чему прикасалось его перо. Извекова пожала плечами и с холодной предупредительностью отвела его в кабинет мужа. Но дверь не закрыла и находилась неподалеку. Пока Сердюков изучал содержимое шкафов, письменного стола, она много раз заходила, словно невзначай, стояла и наблюдала.

— Вас что-то тревожит, сударыня? — спросил следователь, когда она в очередной раз остановилась против двери.

— Да, господин Сердюков. Как бы я ни относилась к мужу, вы должны понимать, что все это, — она кивнула головой в сторону бумаг, — представляет теперь ценность для истории и литературы. Это наследие моего супруга и наследство его детей.

— Сударыня, прошу вас не беспокоиться! Не пропадет ни один листок, пусть даже самый ничтожный! Я гарантирую вам полную сохранность бумаг!

— Но что вы хотите узнать? Разве вы имеете понятие о литературном творчестве?

— Не знаю, каково мое понятие о творчестве,

но так как оно составляло стержень жизни покойного, я должен получить полное понимание сути проблемы. — И Сердюков снова уткнулся длинным носом в ворох листков.

Извекова пожала плечами. У нее это движение, как подметил Сердюков, имело очень выразительный характер, им она изображала недоумение, презрение, удивление, словом, массу эмоций.

Бумага шуршала, липла к пальцам. Строчки стремительно мелькали перед глазами. Наброски к роману «Увядание розы». Надо отдать должное Сердюкову, будучи последовательным педантом, он накануне одолел роман Извекова, правда, так и не поняв, за что его обожествляли читатели. Пробегая глазами несколько листков набросков, Сердюков вдруг споткнулся. Какое-то непонятное чувство поселилось в нем. Он не мог его сформулировать. Отложил листы. Принялся за другие. Часы в столовой уже пробили девять, потом десять часов, давно принесли лампы. А он все рылся и рылся. В голове мутилось, глаза почти не видели, когда из очередной папки выпорхнула страничка и замерла на ковре. Сердюков нагнулся за ней.

— Что-то потеряли? — раздался голос хозяйки. — Вы так долго трудитесь, не желаете ли перекусить?

Извекова стояла рядом со столом, край ее платья накрыл листок, и следователю, чтобы взять его, пришлось бы приподнять подол ее одеяния. Он не рискнул прослыть невоспитанным и последовал непреодолимому зову желудка. Когда же, насытившись отменным ужином, он вернулся за листком, его на полу не оказалось. Впрочем, Сердюкова этот факт не очень расстроил, словно он и ожидал чего-то подобного.

Перебрав по страничке наследие писателя, Сердюков испросил дозволения хозяев и отправился на дачу Извекова, чтобы и там пересмотреть бумаги романиста. На сей раз он прибыл в компании господина Сухневича. Специалист по призракам после первого посещения следователя ни о чем думать не мог, кроме как о возможности личного знакомства с собственным, русским, питерским призраком. Всю дорогу он не закрывал рта, пересказывая спутнику многочисленные свидетельства общения с потусторонним миром. Полицейский сосредоточенно слушал, пытаясь выудить из потока информации рациональное зерно. Так, запах, изменение температуры, отсутствие тени. Все это можно проверить, измерить, описать.

Дача встретила непрошеных гостей унылой пустотой. Местный кот неизвестной породы, пригревшийся на пороге, недовольно мяукнул, когда его пришлось не очень почтительно отодвинуть от входа. Испуганный дворник и охранитель имущества Герасим по счастливой случайности оказался трезв. Он открыл господские комнаты и принялся хлопотать вокруг прибывших.

— Чайку согреть, сударь? — спросил дворник, подобострастно заглядывая следователю в лицо.

— Пожалуй, только попозже.

Уговорились разделиться по интересам. Следователь погрузился в изучение бумаг, которые вдова еще не вывезла. А Сухневич решил излазить весь дом в поисках свидетельств присутствия призрачных существ. Строго опрошенный дворник клялся и божился, что после смерти хозяина никаких привидений на даче больше замечено не было.

Сухневич стал изучать дом. Внутри строение было более просторным, чем казалось снаружи. Много комнат, кладовки, коридорчики, лестницы, обязательный подвал и, само собой, чердак. Везде пыль, паутина, следы мышей, старый хлам и ничего потустороннего.

— Нашли что-нибудь интересное? — полюбопытствовал Сухневич, зайдя в кабинет писателя, где полицейский утонул в груде бумаг.

— Трудно сказать, мне кажется, я натолкнулся на одну мысль, но она еще не оформилась в четкие умозаключения. А как ваши дела?

— Увы, похоже, тут мне опять не повезет! — Знаток потусторонних миров грустно улыбнулся.

— Вы осмотрели все помещения?

— Почти, я пришел пригласить вас в комнату покойной госпожи Горской.

— Что ж, пожалуй, надо размяться!

Следователь встал и потянулся. Сухневич невольно поморщился, так как все кости следователя издали дружный треск, подобный звуку, который издает сломанная сухая ветка. Они направились по коридору, Герасим почтительно двигался следом, неся связку ключей. Перед дверью умершей хозяйки он остановился, шумно выдохнул и перекрестился. Сухневич снова скривился, но на этот раз от отвратительного запаха винного перегара, издаваемого дворником.

— Говорите, не пили нынче? С вами рядом стоять, и то опьянеешь!

— Хорошо вам говорить, господа, а мне боязно! Прости господи, как тогда ее увидел, так со страху еще больше прикладываться стал. Барин-то наш тоже трезвенником не был. А все отчего? По моему разумению, он ее все время видел, она, наверное, к нему часто являлась, вот он и запивал свой страх-то! — прогудел Герасим и повернул ключ в замке.

— Постоянно являлась? — переспросил следователь, внимательно глядя на ключ. — Ну-ка, дай-ка!

Он взял у дворника ключ и несколько раз провернул его в замке. Потом, оставив дверь открытой, отошел к соседней двери и там повертел ключами, открыл еще одну, потом снова вернулся к комнате Горской.

— Давно не открывали эту дверь?

— Почитай, с ее смерти раза три, может, четыре, не знаю. При мне не открывали ни разу, в этом году уж точно!

Переступив порог, Сердюков и Сухневич остановились, осматриваясь. Со всех стен на них смотрела прекрасная Тамара. Маленькой девочкой, прелестной барышней, знаменитой актрисой, в разных ролях, в разных костюмах, в гриме и без него. Везде царил порядок, как будто хозяйка только что ушла. Шторы задернуты, на мебели чехлы. Следователь задумчиво постоял около одного из кресел, провел по сиденью рукой, несколько складок ткани разгладилось. Он прошелся, медленно открыл большой платяной шкаф. Там плотными рядами висели платья, блузы, юбки, громоздилось несколько шляпных коробок. Сердюков принялся медленно и внимательно передвигать вешалки, рассматривая каждую вещь. Дверца шкафа жалобно и недовольно заскрипела, а зеркало, вделанное в нее, отразило длинную сутулую фигуру мужчины, сосредоточенно углубившегося в святая святых женских тайн. Сухневичу, когда дело дошло до белья, панталон, лифов, корсетов, стало совсем неловко. Он кашлянул и принялся разглядывать портреты хозяйки. Бог ты мой, какая же красивая была женщина!

— А что, Герасим, не припомнишь ли ты, призрак в каком обличье явился? — Следователь вытянул зеленое платье и встряхнул его.

Роскошный шелк обрушился на пол. И даже теперь от платья шел тонкий, но явственно ощутимый аромат.

— Не пойму, о чем вы? — Герасим смущенно топтался на пороге комнаты.

— Когда ты увидел призрака, что было на нем надето? Саван? Или, может, вообще ничего?

— Как это ничего? Нежели можно-с! — Дворник с упреком покачал головой, мол, призрак хозяйки должен быть таким же добропорядочным, как и она сама. — Платье на ней было, помнится, я говорил вам, сударь!

— Правильно, говорил, только я хочу уточнить, какое платье, какого цвета?

Герасим засопел и уставился на темную ткань в руках полицейского.

— Сдается мне, что зеленого!

— Уж не это ли?

Дворник, снова перекрестившись, боязливо приблизился к наряду хозяйки. Платье как платье, хорошее, в дорогом магазине купленное, сразу видно.

— Не знаю, барин, не припомню, страшно было, обезумел я от страха-то!

— А про шляпу тоже не помнишь? — Сердюков начал потрошить содержимое шляпных коробок.

— Нет, барин, увольте, не знаю! — пятясь, взмолился Герасим.

Завершив осмотр, бросив последний взгляд на бесконечную череду портретов «царицы Тамары», незваные гости вышли в темный коридор. Герасим возился с ключом, в сумерках было не разобрать, который от этого замка. Как вдруг послышались легкие шаги, скрип, почудилось, словно кто-то пытается двигаться бесшумно, на цыпочках.

— А вот и наш призрак! — прошептал следователь и достал на всякий случай пистолет.

Глава 32

Ольга Николаевна несколько минут нерешительно переминалась, прежде чем наконец, набравшись духу, ступить в парадное и нажать кнопку электрического звонка. Открывшая дверь горничная воззрилась на гостью с недоумением. Ну да, в этот дом, пожалуй, женщины-то и не ходят! Извекову проводили в нарядную гостиную и попросили ждать. Ждать пришлось долго. И когда наконец хозяйка соизволила выйти, Ольга поняла, что Бархатова, узнав о визите будущей свекрови, оделась тщательней обыкновенного. Обе женщины смерили друг друга оценивающими взглядами, далекими от дружелюбия. Обе были почти одинакового возраста, Ольга чуть старше, обеим под тридцать. Обе юными девушками вышли замуж за мужчин много старше себя и стали мачехами. Какие похожие и какие разные судьбы! Ольга воплощала супружеские и семейные ценности, Матильда — вседозволенность и легкомыслие.

Извекова, внутренне трепеща, стояла, чуть опираясь рукой в перчатке на край овального стола, как будто боялась упасть. Невысокая, по-девичьи хрупкая, затянутая в платье сиреневого цвета, очень шедшее к ее светлым волосам и розовой коже. Матильда тоже постаралась придать себе эффектный вид, но от нее веяло жаром нерастраченной страсти, невыплеснутой злости, поэтому даже дома, в своих покоях, она явилась к гостье в густо-лиловом одеянии, что делало ее похожей на роковых злодеек в мелодраматических постановках. Оля, не лишенная чувства прекрасного, чуть улыбнулась. Несомненно, Матильда Карловна была из тех женщин, которые производят сокрушающее впечатление на мужчин, а особенно на тех, кто только ступил на путь познания мира чувств. Следом за хозяйкой выбежала маленькая злобная моська, которая при виде незнакомого лица и, ощущая враждебность посетительницы, задрожала, затявкала с тонким подвыванием, пытаясь напугать врага. Оля невольно попятилась, еще не хватало быть укушенной невоспитанной собакой! Моська обнюхала край ее платья и осталась сидеть поблизости, готовая в любой миг защищать хозяйку.

— Чем обязана? — сухо спросила Мати, жестом предложив гостье сесть. — Впрочем, я догадываюсь, что привело вас, госпожа Извекова, в мой дом.

Дамы уселись в кресла, собака прыгнула на колени к Бархатовой. Но на сей раз ей не позволили остаться. Пришлось расположиться у ног молодой женщины.

— Тем лучше, тем проще нам будет общаться, — Оля попыталась улыбнуться. — Матильда Карловна, я пришла к вам говорить о нашем сыне. Вениамин Александрович и я очень обеспокоены его решением связать себя узами брака с вами.

— Но вы не мать Кирилла! Вы не можете принимать за него решение! — заметила Бархатова.

От ее резкого тона моська подняла голову и заворчала.

— Да, я не мать, вернее, не родная мать! Но я имею полное право высказывать свое мнение, и я знаю, что Кира прислушивается к нему! Я много лет жизни отдала этим детям, они мне роднее родных, и никто не кинет в меня камень, сказав, что я не стала для них близким человеком! — с жаром воскликнула Ольга Николаевна.

— Полноте, — махнула рукой Бархатова, — никто не умаляет вашей роли в воспитании детей господина Извекова. Я о другом толкую. Если бы его родная мать была жива, я бы припала к ее стопам, моля о милости, о протянутой руке. И если бы эта рука была протянута, я осыпала бы ее благодарственными поцелуями, никогда не осквернив и не предав ее расположения! Но кто такая вы, Ольга Николаевна? Вы, кичащаяся своим подвигом жертвенности? Отчего я должна унижаться перед вами и просить вашего расположения и согласия на брак с вашим пасынком? Я знаю, вы гордитесь своей добропорядочностью, тем, что никогда не изменяли своему не столь добродетельному, как вы, супругу! Вы гордитесь тем, что ваша жизнь была брошена под ноги членов этой семьи! И что из того? Вы смотрите на меня с презрением, словно на падшую тварь, но в глубине души вы мне завидуете, завидуете моей свободе, моей независимости, морю обожания и поклонения, в котором я купаюсь. Вы тайно мечтаете хоть на мгновение побыть такой, как я, сбросив оковы своей мнимой добродетели!

— Отчего же мнимой? — только и могла пролепетать ошарашенная таким напором Извекова.

— Да потому что ее нет, хваленой вашей добродетели. И все ваши жертвы напрасны! — Бархатова произнесла это зло и иронично, как будто знала то, что Оле неведомо.

— Вы ошибаетесь! Вы ошибаетесь, ведь у вас жизнь сложилась так, что вам не досталось ни любви, ни жертвенности, ни семейных добродетелей. — Ольга Николаевна старалась говорить спокойно, но голос предательски звенел. — Я жалею вас, но вместе с тем я еще более жалею нашего мальчика. Ведь он еще юн! Куда вы позовете его? Вы старше и опытней, он наивен, как ребенок, вы играете им, словно кошка с мышонком. Избалованная кошка иногда ведь даже и не ест свою полузадушенную жертву, бросив ее умирать в мучениях! Оставьте Кирилла, прошу вас! Будьте благородны!

— Мне смешны ваши рассуждения! Вы начитались слезливых книжек вашего супруга! Вы изволили выставить меня в виде жестокого и похотливого животного! Вы ошибаетесь, сударыня! В моей душе не меньше любви, преданности и жертвенности, чем в вашей! Я люблю Кирилла и не отступлюсь! Пусть хоть небо обрушится на нас!

Бархатова встала, давая понять, что неприятный разговор закончен. Собака отвратительно громко залаяла. Поднялась и Ольга Николаевна. Что ж, она почти и не рассчитывала на успех своей миссии.

— И все же я надеюсь, если вы действительно любите Кирилла, вы оставите его в покое, сударыня! — с достоинством произнесла Извекова и вышла из комнаты.

Матильда метнула ей вслед ненавидящий взгляд и, упав на диван, разрыдалась. Моська вскочила на диван и протяжно завыла.

Прошел месяц. Кирилл уповал, что со временем страсти поутихнут, родители смирятся. Однако долгожданный штиль не наступал. Павел, родной брат и близкий друг, и тот высказывал осторожные сомнения в разумности его выбора. Но что ожидать от Павла! Он сух, рационален и совсем лишен эмоций. Его никогда не увлечет поток страсти. А если это и случится, то, скорей всего, не к женщине, а к идее или прожекту. Вера тоже не советчик. Когда она познакомилась с Матильдой, потом полвечера критиковала ее платье крикливой расцветки: как можно, в ее-то возрасте! Несуразность шляпы: и где она такую приобрела? Походку, так ходят женщины с панели! И манеры ужасные! И мысли убогие! Это будет не жена, а стыд!

Раздосадованный Кирилл обвинил сестру, что та завидует живой и неувядающей красоте его избранницы, которая хоть и старше Веры, да ярче и сочней во сто крат! А вот Вера уже засыхает на корню и на глазах превращается в классическую старую деву. Злую и завистливую, чья нерастраченная любовь застоялась в глубине души, уподобившись мутной тинистой воде!

После сказанного брат и сестра перестали разговаривать друг с другом, отчаянно страдая от обиды, непонимания и возникшей неприязни.

Кирилл метался между родней и возлюбленной. В глубине сознания он понимал, что его брак будет не безоблачным, но, полюбив первый раз в жизни, он полагал, что это чувство неповторимо. После долгих размышлений он принял решение еще раз собрать семью воедино и попытаться примирить всех и вся. Если он не сможет добиться согласия, то хотя бы умерит недоброжелательность сторон. Он вел долгие переговоры с отцом и мачехой, братом, повинился перед оскорбленной сестрой и уговаривал гордую Матильду.

И вот идея примирительной встречи осуществилась. Извековы, скрипя зубами, вынуждены были потихоньку привыкать к мысли о женитьбе старшего сына на распутной вдовушке. Кирилл не отступится, это очевидно. Пришлось согласиться и встретиться с будущей невесткой еще раз, поглядеть на нее попристальней. Может, не так страшен черт, как его малюют? Кирилл заказал торжественный обед в ресторане «Медведь» на Большой Конюшенной, и в означенный день и час семья Извековых снова встретилась с Матильдой Бархатовой.

Матильда нервничала ужасно, кляня себя за невоздержанный язык. Зачем она тогда наговорила резкостей Извековой, превратила ее в непримиримого врага? На сей раз Матильда Карловна оделась изящно и без вызывающей роскоши. Строгое платье с высоким воротом, кружевная отделка по лифу и рукавам. Гладкая прическа, минимум украшений, неяркая помада. Сидя напротив Ольги Николаевны, Матильда с трудом могла проглотить маленький кусочек. Каждый ее жест, каждое движение и слово привлекали пристальное внимание присутствующих. Кирилл отчаянно страдал, видя, что разговор не клеится и враждебность витает над столом, уставленным дорогими закусками, к которым никто почти не притронулся. Павел отмалчивался, Вера язвила, Ольга ограничилась вымученными любезностями. Один Вениамин Александрович, как человек светский, проявлял умеренное дружелюбие и пытался поддерживать застольную беседу. Выпив вина, потом еще, Извеков стал словоохотлив и постепенно оттаял. Он все больше и больше оказывал внимания Бархатовой. Улыбка его престала быть натянутой, он позволил себе несколько комплиментов, в его голосе зазвучали нотки дружеского участия. Кирилл воспрял духом. Он ненавидел пьянство отца, но в этот момент его пагубная привычка могла сыграть положительную роль. Если сейчас лед тронется, то все изменится в лучшую сторону, в этом молодой человек не сомневался. Жестом он подозвал официанта в черном фраке и накрахмаленной манишке. Тот в штиблетах без каблуков, как положено в ресторанах первого класса, подлетел легко и бесшумно. Кирилл приказал подать еще вина. Упоенный надеждами, он не замечал, что мачеха внимательно следит за взорами, которыми обменялись супруг и Бархатова, что какие-то неуловимые токи присутствуют в разговоре между ними. Беседа оживилась, послышался смех, дело шло на лад.

И тут к их столу нетвердой походкой приблизился молодой человек. Его можно было назвать привлекательным, если бы не пьяная гримаса. Одет он был дорого, но обильные возлияния и поглощенный обед уже принудили его развязать галстук и распахнуть пиджак. Он остановился в двух шагах и, глумливо улыбаясь, поклонился:

— Матильда Карловна! Приветствую! Мое почтение, господа!

— Кто это? — изумился Извеков, глядя на Мати, которая при виде незнакомца закусила губу.

— Позвольте представить, господа, это Юрий Владимирович Бархатов, сын моего покойного мужа, — произнесла она с усилием.

По всему было видно, что явление Юрия не вызвало у нее никакого восторга.

— Что вам угодно, сударь? — холодно поинтересовался Извеков.

— Мне угодно побеседовать с Матильдой Карловной. Должен сказать, господа, что сия несравненная особа в последнее время совершенно избегает моего присутствия, я лишен прежних возможностей видеть несравненную Матильду! Поэтому и поспешил воспользоваться ее присутствием здесь...

— Юрий! Прекрати паясничать! — Бархатова оборвала молодого человека таким резким тоном, что все обомлели.

За соседними столиками публика потеряла интерес к содержимому тарелок, многие обернулись в сторону разгорающейся ссоры. Вениамин Александрович занервничал, его многие узнавали и кланялись. Еще не хватало завтра в газетах прочитать о пьяном скандале с участием семейства известного писателя!

— Позвольте, я присяду, господа? — И, не дожидаясь приглашения, Бархатов уселся на стул рядом с Матильдой.

Повисло напряженное молчание. Кирилл полагал, что невеста что-либо объяснит, потому что ни о каком сынке покойного супруга он понятия не имел. На лице Ольги Николаевны было написано: «Я так и знала, неприятности не заставили себя ждать!»

— Обручение празднуете, помолвку? — спросил самозваный гость, наливая себе бокал.

— Мне кажется, сударь, что ваша бесцеремонность переступает границы поведения воспитанных людей, — тихо, но с угрозой произнес Кирилл.

— Отчего же? Мы все тут, за столом, в некотором роде очень близкие люди! — Бархатов засмеялся и выразительно посмотрел на Матильду.

— Юрий, — она замялась, переменила тон, он стал просительным. — Не надо сцен, поезжай к себе, мы завтра с тобой переговорим.

Но пришелец и не собирался ее слушать.

— Да-да, очень близкие люди! — И он снова засмеялся, откинувшись на спинку стула.

— Позвольте, в чем же наша с вами близость? — Кирилл начал терять терпение. Присутствие наглеца приводило его в ярость.

— Все мы, за исключением, как я знаю, самого младшего Извекова, пользовались теплым и дружеским участием известной особы.

И Бархатов с вызывающей наглостью поклонился позеленевшей от злости и досады Матильде.

— Милостивый государь! — Кирилл вскочил, швырнув на пол накрахмаленную салфетку.

— Да вы не горячитесь, юноша! Вам кажется, что мои слова — злой навет? А вы папашу своего спросите, он вам в красках распишет достоинства вашей избранницы, так как хорошо их изучил! Ведь недаром он отговаривал вас брать плод с червоточинкой, знал, что говорит! А он отговаривал вас, мой юный рыцарь, не так ли?

Кирилл застыл на месте. Вера закрыла ладонями пылающее лицо, ей хотелось провалиться сквозь землю. Извеков смотрел на жену, но та уподобилась мраморной статуе.

— Оля, это пьяный бред, нелепость...

Лучше бы он не говорил этой фразы! По тому, как она была произнесена, можно было вынести обвинительный приговор. Матильда, поджав губы, пронзила Юрия взглядом-молнией. Но что делать, роковые слова были сказаны. Она приподнялась со стула, Кирилл, бледный и сосредоточенный, помог ей встать.

— Вероятно, наше семейное торжество на этом и завершится, — произнес он безжизненным голосом. — Я поеду с Матильдой Карловной, нынче меня не ждите, в полку буду.

Поднялся и Бархатов и двинулся следом за молодыми людьми. Казалось, он едва держится на ногах. Да, Юрий выпил изрядно для храбрости, потому что страшно трусил, перед тем как предпринять последний отчаянный шаг, чтобы разлучить Кирилла и Матильду. Уже при выходе из зала Кирилл, пропустив даму вперед, дождался обидчика и что-то резко и выразительно произнес. Прошмыгнувший мимо официант только и услышал: «Завтра, на рассвете...» Матильда не слышала роковых слов, она теребила веер и с тревожным чувством разглядывала чучело огромного бурого медведя, сторожившего вход в заведение.

Глава 33

Когда кончается любовь? Вернее, когда понимаешь, что ее уже нет? Когда прекрасный цветок, живой и яркий, медленно умирает в вазе, это происходит грустно и неизбежно. Потом остается лишь со вздохом сожаления выбросить поникшую и потемневшую красоту. Выбросить и приготовить вазу для нового букета!

Увы, чувства не цветы! Порой они увядают навсегда, душа засыхает без живительной влаги и становится подобна мертвой пустыне. Ольга Николаевна ощущала себя теперь именно пустыней. В каком-то полусне она возвращалась домой. Супруг что-то с жаром говорил о полигамности мужской натуры, о неизменности их союза, но она не слышала его слов. Единственное обстоятельство поразило Извекову: Вениамин Александрович от пережитого вмиг протрезвел! Дома все разбежались по своим уголкам, и жизнь замерла. Ольга заперла дверь, боясь прихода супруга. Извеков действительно пришел, дернул ручку снаружи, но очень нерешительно, что было ему совсем не свойственно. Выждав несколько минут, он удалился к себе. Щелкнул замок, воцарилась тишина.

Итак, все кончено! Оля прислушалась к себе и поразилась. Ей не хотелось ни кричать, ни плакать, ни сводить счеты с жизнью, узнав об измене мужа. Не хотелось знать, как и когда все произошло, сколько длился их роман, начался ли он еще при жизни Тамары или уже позже? Невыносимы были его жалкие оправдания, ведь он и не рассчитывал что-либо ей объяснять, полагая, что тайна никогда не выйдет наружу, а уж если это и произойдет, то она не осмелится предъявлять ему претензии. Ей было ровным счетом все равно теперь, по прошествии стольких лет. Если бы она узнала раньше, она бы не перенесла, наложила бы на себя руки, повредилась умом. А сейчас — пустота и лед отчуждения. Это означало только одно — любви больше нет.

Но была ли его любовь? Похоже, все годы замужества она обманывалась, слепо полагая, что Вениамин позвал ее замуж из-за любви. Приходилось признать, что нет. Была тяга мужского естества к молодому телу, было стремление вернуть в дом порядок и уют, желание дать детям мать, словом, муж хотел от нее многого, но взамен не дал ей главного — любви!

Иногда она и раньше подозревала нечто подобное, но тут же успокаивала сама себя. Безграничного моря ее чувств хватит и на супруга, и на детей! Увы, ее самоотверженная и преданная любовь не одолела самолюбивого эгоизма окружающих. И как теперь жить? Столько лет прожито впустую, зря. Неужели циничная Бархатова была права? Только теперь до Ольги дошел смысл ее речей! Земля уходит из-под ног, небо обрушивается на голову, жизненные устои разбиваются вдребезги! Уйти? Куда? С кем? Уехать к отцу в Лондон?

И тут Оля вздрогнула. От Николая Алексеевича давно не было вестей, что на него не похоже! Да, бежать в Лондон, на край света, куда угодно! Она выполнила свой долг, принесла все возможные, никем не оцененные жертвы, отныне ее совесть чиста!

К утру Ольга уже почти приняла решение требовать развода. Это будет нелегко, но выбора не остается. Оля с недоумением оглядела себя: одетая, она просидела всю ночь, уставившись невидящим взглядом в стену. Нет, она не отступит, она тотчас же пойдет к мужу и объявит ему о своем решении.

Но ее решимость погасла в тот миг, когда раздался шум, топот, отворилась дверь и внесли Кирилла. Одного взгляда было достаточно, чтобы понять, что произошла дуэль. Пуля попала в живот, разорвав внутренние органы. Раненого уложили на постель, Ольга и выбежавшая на шум Вера заметались около него. Секундант, товарищ, служивший в том же полку, давясь слезами, рассказывал о поединке. Противники встретились рано, только рассвело, за Шлиссельбургским трактом. Стрелялись с двенадцати шагов. Бархатов стрелок никудышный, выпитое накануне и безумный страх сделали свое дело, его руки ходили ходуном. Поэтому секунданты и надеялись, что обойдется, как такой может куда-нибудь попасть? Однако стервец попал! Правда, и Кирюша не сплоховал, уложил подлеца наповал!

Павел умчался за докторами, так как прибывший полковой лекарь пребывал в растерянности. Больной угасал прямо на глазах. Помогая перебинтовывать пасынка, Ольга Николаевна с ужасом поняла, что рана чудовищна, пуля просто растерзала его, не оставив никакого шанса на жизнь.

Через час прибыли еще два известных в городе хирурга. Осмотрев раненого, вынесли неутешительный вердикт. Шансов никаких, проживет от силы до вечера, зовите священника. Заливаясь слезами, Ольга Николаевна попыталась достучаться до супруга. Куда там! Ответом ей было знакомое безмолвие. Через день-два он протрезвеет и узнает, что его не дозвались к умирающему сыну! Ольгу под дверями кабинета сменила Вера. Оля ушла, она не могла выносить ее пронзительные крики, которые, казалось, и мертвого бы подняли. Но не Вениамина Извекова, находящегося в глубоком запое. Тогда Ольга решилась. В другой раз она никогда бы не посмела прервать мужнино уединение, нарушить тишину «творческого кризиса», но ситуация ухудшалась с каждой минутой. Извекова не могла представить, что Кирилл уйдет, не простившись с отцом и не простив его. Призвали дворника и взломали дверь. Ольга вошла осторожно, словно боясь нападения. Но хозяин кабинета, лежащий на диване, оставался недвижим и безмолвен. Она принялась трясти его, хлестать по щекам и щипать. С таким же успехом она могла бы пытаться заставить подняться тряпичную куклу. Убедившись в бесполезности своих усилий, Ольга Николаевна в отчаянии присела на стул у письменного стола. Глаза ее перебегали с предмета на предмет, рукописи, папки, чернила, перо, снова рукописи. Невольно Ольга передвинула несколько листков. Взгляд ее заострился, она прищурилась, стала читать, потом поспешно переложила еще несколько разрозненных страниц. Не может быть! Впрочем, это многое объясняет!

Муж пошевелился, она вздрогнула и замерла с листом в руке. Нет, сон беспробудный! Теперь понятно, почему ни одна живая душа никогда не переступала порога этой святыни! Даже ее, жену, сюда впускали только в его присутствии! Ольга Николаевна судорожно перебирала папки. Так и есть, все сходится! Она нашла папки, относящиеся к самым первым, наиболее известным романам Извекова, и аккуратно отделила пачку листков чуть желтоватого цвета. Свернула, упрятала под юбку. Супруг оставался недвижим. Что ж, пробуждение будет для него страшным вдвойне!

И в это мгновение примчалась горничная с известием, что барыня прибыла, просят допустить. Выбегая из кабинета, Ольга столкнулась с Павлом.

— Ведь ты не пустишь ее, правда, мама Оля? Если она появится на пороге нашего дома, я сам убью ее!

Оля вышла из квартиры, Матильда Карловна дожидалась на улице, сидя в изящной коляске. При виде Извековой Бархатова поспешила сойти навстречу.

— Напрасный труд, сударыня, извольте уезжать, вам тут не место! — Ольга жестом пресекла движение Бархатовой.

— Как он? Как? — выдохнула Матильда.

— Жизнь его на волоске. Шансов почти нет, — Извекова крепилась, ей не хотелось плакать при Матильде.

— Позвольте мне войти! — Бархатова попыталась пройти в дом.

— Да как вы смеете! После содеянного вами, после такого позора всей нашей семьи! Неужели вы не понимаете, что вам тут не место, вам вообще не место среди порядочных людей! Господь покарает вас за бедного Кирилла!

— Уже, уже покарал! — простонала Мати, оседая на дверцу коляски.

Ольга вернулась в дом, но через несколько минут ее снова позвала горничная и с округлившимися глазами указала в окно. Извекова поглядела вниз на тротуар и ужаснулась. Бархатова, упав на колени прямо в месиво дорожной грязи и конского навоза, билась головой о порог, моля пустить ее, стеная на всю улицу. Роскошное платье испачкалось, шляпа съехала набок, волосы растрепались и мотались в разные стороны. Матильда ломала руки и отчаянно рыдала. Глядя на это дикое зрелище, Ольга распорядилась тотчас же впустить несчастную. На другой стороне улицы уже собирались любопытные, хотя дворник и городовой, стоявшие неподалеку, гнали толпу зевак прочь. Бесполезно, что может быть слаще лицезрения чужого горя или унижения!

Мати, шатаясь, вошла, горничная указала ей дорогу, пришлось ее даже под локоть поддержать. Перед комнатой, где умирал Кирилл, Бархатова поспешно сорвала шляпу, одним движением закрутила волосы в узел и перекрестилась широким жестом. Горничная на ходу оттирала ей платье. Оля через незакрытую дверь видела, как Матильда переступила порог и упала около кровати, покрывая поцелуями лицо и руки возлюбленного. Кирилл слабо улыбнулся и чуть пошевелил пальцами.

— Прости меня, прости, прости! — только и было слышно. — Люблю навеки только тебя, не уходи, не оставляй меня! Прости!

Оля не слышала, сказал ли что-нибудь пасынок, но лицо его передернулось и окаменело. Матильда с воем накрыла его собой, упав на бездыханное тело. Ольга Николаевна отвернулась к стене и, не отдавая себе отчета, стала скрести ногтями обои.

Полиция начала расследование, взяв под стражу оставшихся в живых участников драмы. Газеты много писали о злополучной дуэли. Извекова с содроганием просмотрела многие из них. Слава богу, толком о причине дуэли никто из газетчиков не пронюхал. Тем более что второй противник тоже погиб.

Писали, что похоронами распоряжалась она, Ольга Извекова, мол, сам романист в таком ужасном состоянии после смерти сына, что даже не смог присутствовать на погребении. Матильды тоже не было на кладбище, она не посмела явиться, тем более что надобно было соблюсти приличия и пристойно отправить на тот свет Юрия. Узнав о трагедии, вновь пришел Пепелищев и предложил свою помощь и поддержку, которые были приняты с благодарностью.

На девятый день Оля, Вера и Павел пошли на

кладбище. Вениамин Александрович не вставал с постели с того момента, как алкогольный дурман покинул его и Павел сообщил ему о дуэли и гибели Кирилла. В первый момент Извеков решил, что продолжается горячечный бред, но, увы, трезвая действительность оказалась страшней алкогольных галлюцинаций, которые мучили его в последнее время. Осознав ужас происшедшего, он не смог даже подняться.

На свежей могиле, усыпанной цветами, Извековы увидели склонившуюся фигуру. Павел сразу признал несостоявшуюся невестку и сжал кулаки. Ольге пришлось взять его под руку. Услышав шаги, Матильда подняла голову. Ольга вздрогнула. Потеря и страдания изменили женщину до неузнаваемости. Не осталось ни высокомерия, ни легкомыслия. Не осталось той призывной порочной красоты, которая и сгубила молодого Извекова. Лицо, искаженное болью, кожа, иссушенная слезами, помутившиеся, покрасневшие глаза, черные круги под ними. Бархатова с усилием поднялась с колен и хотела опустить вуаль, чтобы удалиться.

— Матильда Карловна! Вы можете остаться и молиться с нами, — тихо произнесла Ольга.

Павел сверкнул глазами, но промолчал, Вера только покачала удрученно головой. Какое теперь все это имеет значение, если Кирюши нет!

Бархатова хотела благодарить Извекову, поклонилась, пыталась что-то сказать, но слова не складывались.

— А ведь вы правы оказались, по-вашему вышло! — Оля посмотрела на Матильду, и та отвела взгляд. Павел и Вера не понимали, о чем идет речь, но боялись спрашивать.

— Пропади пропадом правота эта! — простонала Матильда и опустила вуаль.

Глава 34

Борис Трофимов мог бы назвать себя счастливым человеком. Пережив драматическое расставание с любимой, он погрузился в медицинские исследования и пришел к выводу, что истинный ученый не нуждается ни в семье, ни в женщине как объекте обожания, ни в любви как особом состоянии души и тела. Его любовь и религия — книги, опыты, колбы, пробирки, анализы, диагнозы и прочее. Он поборол свою зависимость. И стал совершенно свободен и здоров духом. Ничто теперь не мешало ему сосредоточиться на своих исканиях.

Обретенный покой не поколебал даже приезд в Лондон доктора Миронова. Не сговариваясь, учитель и ученик не обсуждали неудачный брак дочери Миронова, не говорили об отвергнутых чувствах Трофимова. И только по прошествии довольно длительного времени Николай Алексеевич стал иногда вскользь упоминать о письмах, получаемых от Оли. Новости от нее не радовали обоих. Но что поделаешь, ничего не переменится! Николай Алексеевич в глубине души боялся признаться, что совершил ошибку, что оказался виноват, пойдя на поводу Олиных чувств. Прояви он тогда отцовскую твердость, задуши свой либерализм, глядишь, и обошлось бы. Оля попереживала, да и вышла бы за Трофимова. А про романиста и говорить нечего, в искренности его любви Миронов изначально сомневался. Как он мог позволить своей бедной девочке взвалить на себя груз воспитания трех чужих детей! Да еще и лишиться малышки! Терпеть проказы мальчиков, капризы падчерицы и постоянное мужнино раздражение всем и вся!

Терзая себя такими размышлениями, Николай Алексеевич незаметно переходил к воспоминаниям, к тому светлому прошлому, когда дочь была ребенком, радовала его своей детской непосредственностью и нежной любовью. Он с блаженством вновь видел себя в петербургской квартире. Оля, веселая и подвижная, вся в белых кудряшках, одетая в трогательное платьице и панталончики, сидит у него на коленях. От ее кожи исходит упоительный запах невинного существа. Они хохочут и теребят друг друга за волосы. Как далеко то время! Разумеется, доктор, будучи реалистом, всегда думал о том, кто станет Олиным мужем. Но мысль эта вызывала у него неприятную дрожь и тоскливые раздумья. Ведь он был врачом, бывал в разных домах, разных семьях и многое повидал. Трофимов казался ему наилучшим кандидатом, он знал его накоротке, видел его порядочность и преданность, чистоплотность. Хотя для молоденьких девушек все это ровным счетом ничего не значит. И только гораздо позже они начинают разбираться в мужчинах и понимать подлинные ценности. О чем думает теперь милая Оленька? Жалеет ли о своем выборе, согласилась бы пойти за Борю, если бы вдруг судьба сказочным образом переменилась? Бог ее знает, она никогда не жаловалась и, судя по всему, по-прежнему любила мужа, несмотря на то, что он уже утратил облик идеального героя.

Миронов тосковал по дочери, но не надеялся, что она навестит его. Ехать же домой и вносить разлад в семейную жизнь Оли ему не хотелось.

— Я думаю, что она приедет, только если я помирать буду, — как-то грустно пошутил Николай Алексеевич.

И оказался прав. Болезнь свалила его незаметно, потихоньку подтачивая и подгрызая организм. Трофимов с ужасом видел, как Миронов чахнет и тает на глазах. Причем оба, как опытные доктора, прекрасно понимали неизбежность печального исхода. Борис, не дожидаясь просьбы товарища, послал в Петербург телеграмму, оповещавшую Извекову о скорой смерти ее отца.

— Вы что, голубчик, все мечетесь, словно ждете кого? — слабым голосом спросил однажды Миронов, который уже дней десять не поднимался с постели. — Неужто Олю вызвали?

— Каюсь, проявил самодеятельность, — смутился Борис.

— Так! Значит, по-вашему, дела мои совсем плохи. — Николай Алексеевич внимательно посмотрел в лицо своего ученика и друга, зная, что ложь между ними в профессиональных вопросах немыслима.

Трофимов смешался. Он не мог соврать, к тому же это было и невозможно. Но и слов правды он тоже не мог из себя выдавить.

— Ваши подозрения, уважаемый коллега, полностью совпадают с моими, — тихо произнес Миронов. — Полагаю, что нам надо попытаться отрешиться от нашего взаимного дружеского и человеческого расположения и проанализировать все симптомы с профессиональной точки зрения.

Трофимов поспешно схватил протянутую руку Миронова. В этот миг он хотел быть кем угодно: дворником, городовым, извозчиком, но только не доктором!

Борис не отходил от постели больного и постоянно вкалывал морфий для уменьшения болей. Миронов ушел тихо, не мучаясь. От Ольги не было никаких известий. Трофимов сам управился с похоронами, стремясь выполнить волю покойного кремировать тело и похоронить прах в Петербурге рядом с женой. Прошло три дня после завершения печальных хлопот. Борис пытался заглушить работой боль утраты любимого наставника. Расположившись в лаборатории, он безуспешно пытался сосредоточиться на исследовании, которое они начинали еще с Мироновым. Но в голову лезли совсем иные мысли. Как ужасно умереть на чужбине! Как мучительно сознавать, что единственное любимое дитя не примчалось к смертному одру! Хорошо, что хоть он, Трофимов, оказался рядом! Да, тут поневоле уверуешь в Бога, даже из прагматических соображений! Все же человек не один пред лицом смерти, с ним всегда Господь! Хотя все равно горько и обидно. Как Оля могла предать отца и не приехать!

— Боря! — раздалось за спиной. — Борис, очнитесь!

Он вздрогнул и обернулся. Перед ним стояла Оля Миронова. Так он ее называл про себя, избегая упоминания фамилии супруга. По всему видно, что только с дороги, усталая, замученная, одурманенная горем.

— Я опоздала? — Оля тревожно огляделась вокруг, словно ища кого-то.

Он кивнул.

— Я опоздала! Опоздала! — Она запричитала, заплакала и заметалась по лаборатории, рискуя разрушить приспособления и инструментарий.

— Ольга! Ольга, сядьте! — Он схватил ее в охапку и насильно посадил на скрипучий стул. — Вот, выпейте воды!

Она попыталась пить, но зубы ее стучали о край стакана. Отбросив его, она с горячностью принялась рассказывать Борису, искренне, эмоционально, как будто и не было восьми лет разлуки, как будто только вчера он сидел у них в гостиной.

— Боже мой, Боря, вы не представляете, как складываются иногда обстоятельства! Ведь мы только похоронили нашего старшего мальчика, Кирилла! Ужасная дуэль, ужасная женщина, ужасная смерть! И вдруг я получаю вашу телеграмму. Я даже не поверила своим глазам, не может быть столько несчастий в один момент! Воистину, пришла беда — отворяй ворота! А тут еще Вениамин, с его... с его пьянством, да-да, не удивляйтесь! Я тоже удивлялась, да все прошло! Свыклась, приноровилась! Он решил, что если я уеду к отцу, то уж точно обратно не вернусь, и запил так, что чудом откачали. Такого запоя у него не было никогда.

Она вытерла лицо платком. Борис жадно изучал ее лицо, фигуру, благо собеседница не обращала внимания на его испытующие взгляды. Трофимов, помогая ей снять пальто и шляпу, вкрадчиво спросил:

— Почему он решил, что вы не вернетесь? Разве вы плохо жили, ссорились?

Оля махнула рукой и вкратце поведала предысторию дуэли.

— И вот только сейчас я здесь, — произнесла Извекова, оглядевшись по сторонам, и снова заплакала, вспомнив причину приезда. — Теперь ваш черед рассказывать. — Она снова вытерла глаза и попыталась взять себя в руки.

Они проговорили до позднего вечера. Оля требовала все новых и новых подробностей жизни и кончины отца. Трофимов несколько раз пересказал ей все последние дни, до мельчайших деталей. Но она была ненасытна, словно пыталась наверстать упущенное. Наконец оба совершенно изнемогли от разговоров, и Борис отвез Ольгу в отель. И только тогда, когда выгружали ее вещи, он обратил внимание, что их слишком много для женщины, которая приехала лишь на похороны.

На другой день он явился к ней в номер спозаранок. Оля уже ждала его. Она почти не спала, несмотря на утомление и пережитое горе. Бледная и сосредоточенная, она встретила его тихой улыбкой. Они поехали в крематорий и долго там просидели, перебирая воспоминания. Борис много и с жаром говорил об учителе, и в его словах против воли постоянно сквозил невольный укор Оле. Он полагал, что теперь его полномочия исчерпаны, дочь заберет прах и отвезет урну в Россию.

— Да, разумеется, я поступлю именно так, но не прямо сейчас. Позже, — как-то неуверенно произнесла Извекова, Трофимов не понял, но переспрашивать из деликатности не стал.

Через несколько дней по просьбе Оли Трофимов перевез ее из гостиницы в квартиру, которую снимал Миронов. Извекова поселилась там, потому что ее постоянно грызло чувство вины перед отцом. Почему она не приехала раньше? Чего она ждала, какого сигнала? Неужели надо было случиться ужасной истории с Бархатовой, чтобы убедиться: муж ее не любит и не ценит? Как она оказалась слепа! Но что теперь делать? С содроганием вспоминала отъезд, тайные сборы и приготовления. Вениамин Александрович упрямился, не давал паспорт. Даже Павел его уговаривал отпустить мачеху отдать последний долг родителю. И он же, Павел, первый и догадался, что она собирается покинуть их навсегда.

— Мама Оля, ведь ты не вернешься обратно? — тоскливо спросил пасынок, случайно увидав, как она торопливо укладывает в дорожный саквояж фотографию отца, прежде стоявшую на столике в овальной рамочке.

Оля испугалась и замерла в нерешительности.

— Нет-нет! — воскликнул Павел, видя ее замешательство. — Ради бога, не бойся, я не выдам тебя, никому ничего не скажу! После всего, что было, ты вправе поступать как угодно! Отец оказался, — он смутился, подбирая мягкие слова, — оказался не очень добр к тебе!

Оля порывисто обняла юношу. Нет, не зря она вложила в этих детей всю душу!

Павлу пришлось помогать мачехе тайком вывозить часть вещей, чтобы большой дорожной поклажей не вызвать лишних подозрений.

Всю дорогу Оля мучилась. Ее терзали страх из-за побега и грядущего выяснения отношений с мужем, сожаления о погубленной молодости и утраченной любви. Но по мере приближения к туманному Альбиону все вытеснило тяжкое предчувствие неумолимой беды.

И вот она здесь, в Лондоне. Неизбежное произошло. Она осталась одна-одинешенька. Как поступить? Сразу написать письмо и требовать развода или повременить, собраться с духом, прийти в себя? Как-то само собой вышло повременить — сядет писать письмо, рука не держит перо, бумага летит в корзину.

Трофимов навещал ее почти каждый день, но не оставался подолгу, из чего она решила, что его кто-то всегда ждет. Что ж, Боря стал хорош собой, представительный мужчина! Имеет практику, в основном среди русских, оказавшихся в Англии, печатается в научных журналах, его знают в медицинских кругах. Она попыталась представить себе, как может выглядеть возлюбленная Трофимова. Почему-то она решила, что это непременно вдова с рыжими волосами и веснушками на курносом носу.

— Отчего же вдова, да еще и рыжая? — засмеялся Борис, когда однажды, по прошествии месяца, она случайно обронила свои предположения.

Они пили чай в малюсенькой гостиной. Оля совершенно уже освоилась в новом жилище, и от ее присутствия холостяцкая квартира покойного Миронова обрела теплый и уютный вид.

Оля не нашлась, что ответить, и тоже робко засмеялась, наверное, в первый раз за последние несколько месяцев.

— Нет, милая Ольга Николаевна, никакая вдовушка меня не ждет. Но я не свободен. Однажды королева Елизавета сказала, что она замужем за Англией. Так вот, я женат на науке!

— Что ж, достойный выбор! Во всяком случае, ваша избранница никогда не разочарует вас и не предаст! — пылко воскликнула Оля и покраснела, поняв, что ее слова были слишком откровенными.

Трофимов поставил чашечку на столик. Оля сидела выпрямившись и напряженно ждала. Отчего-то она решила, что теперь Трофимов захочет говорить с ней о прежних чувствах. Неужели все, что он делал для нее, происходило только из доброй памяти к Миронову?

— Я понимаю вас, Оля! Вы пережили ужасное разочарование. Вас предали в самых лучших, сокровенных чувствах! Я хорошо помню, как вы были счастливы, как искренна была ваша любовь! А теперь вы подобны сосуду, из которого выпита живительная влага. Ваша душа на распутье. Что теперь вы намерены предпринять? Я полагаю, вы не торопитесь возвращаться?

— Сама не знаю, — она вздохнула. — Наверное, я решусь требовать развода.

— Мне кажется, что это будет непросто, — заметил собеседник. — Одно хорошо, вы уехали, у вас есть деньги, вы относительно свободны. Не думаю, что господин писатель станет заявлять в полицию. Главное для вас — не только юридические аспекты вашей свободы. А ваша внутренняя жизнь, понимание себя. Ведь, как я понял, вы и не жили для себя, своим миром. Вся ваша жизнь состояла из услужения семейству Извековых, не так ли?

Разговор стал Оле неприятен. Борис говорил правильно. Но от этих слов в ней поднимался протест, она не хотела мириться с бесплодностью своего бытия. Да к тому же он разочаровал ее, не сказав ни слова о собственных чувствах. Неужели все прошло? Впрочем, немудрено, столько лет, и потом, она так дурно относилась к нему, к его любви. Вот теперь она пришлась бы кстати! Только, увы, чувства — деликатная материя, не товар в лавке. Заверните, я возьму, ах, нет, передумала. Впрочем, так и быть, давайте!

Трофимов ушел, оставив на столе недопитый чай и тоску в душе Ольги. Она собралась прогуляться, потом передумала. Незнакомый город пугал молодую женщину. По-английски она говорила плохо, стеснялась своего незнания и предпочитала выходить в обществе Бориса. Но она не может долго оставаться в подобном положении, нужна определенность. Оля вздохнула и заставила себя в очередной раз попытаться написать мужу.

Глава 35

Вера уже с полчаса рассматривала принесенный почтальоном конверт. Она узнала почерк, рассмотрела штемпели. Нет сомнения, это от нее, от Ольги. Как хочется заглянуть внутрь конверта, узнать, что пишет беглянка! Это она, Вера, первая разоблачила мачеху. Отец ждет ее и ждет, а Ольга все не едет и не едет, не шлет ни писем, ни телеграмм. Вера решилась и самовольно открыла запертую дверь в комнату Ольги Николаевны. Вот тут-то и вскрылась вся правда. Обнаружилось, что увезены почти все необходимые вещи, масса мелочей, фотографий, семейных портретов, драгоценности, ценные бумаги. Зачем тащить за собой целый воз, если едешь только за тем, чтобы забрать и перевезти прах покойного?

— Я знаю, она там не одна, она наверняка с Трофимовым сошлась! — лила Вера яд в душу Вениамина Александровича. — Иначе что ей там делать так долго, в чужой стране? Трофимов всегда ее любил, она сама рассказывала, да вы это и без меня хорошо помните!

— Нет, невозможно! Она слишком меня любила, чтобы изменять! И потом, она очень робка, она не может жить самостоятельной жизнью! Я не пойму, как она умудрилась обвести меня вокруг пальца!

— Вот, вот! В тихом омуте черти водятся!

— А что Павел, он тоже ничего не знал?

Но Павел, по счастью для себя, на тот момент уже получил место на железной дороге и отбыл из дома. Теперь он редко бывал в столице, да и к отцу не очень спешил. Поэтому выпытать что-либо у брата по горячим следам не удалось.

С момента обнаружения правды Вера вошла во вкус разоблачений. Дня не проходило, чтобы она не корила мачеху и за побег, и за мыслимые и немыслимые прошлые грехи. Разом забылось все добро и самопожертвование, не было ничего достойного доброго слова. Конечно, вспомнилась и история с Пепелищевым. Извеков был мало осведомлен о тогдашнем происшествии на пруду. Он знал только, что Вера влюбилась в его приятеля, да безответно. Теперь обрисовались «истинные» очертания события. Бедная Ольга оказалась в Верином пересказе коварной искусительницей и соблазнительницей. Она уже тогда, вероятно, изменяла Извекову! Немудрено, что, убежав в Лондон, она тотчас же сошлась со своим бывшим воздыхателем!

И вот письмо! Что там? Вернется или нет? Требование развода или раскаяние? Девушка повертела плотный пакет, посмотрела на просвет. Может, нагреть на свече и аккуратно вскрыть?

— Вера! Неужели письмо? От Оли? — Отец появился в дверях неожиданно.

— Да, только принесли, я хотела отдать вам, — Вера поспешно протянула ему конверт.

Вениамин Александрович, поплотней запахнув бухарский халат, тяжело двинулся к столу и принялся поспешно распечатывать послание. Дочь тревожно смотрела ему в затылок, пока он читал. Шею, а потом и все лицо писателя постепенно залило краской. Он тяжело задышал и отбросил письмо. Вера боялась пошевелиться, зная, что может попасть под горячую руку.

— Какая низость! Какая подлость! Обвинять меня во всех смертных грехах! Я, видите ли, отравил ее жизнь! Погубил ее молодость! Это я-то! Я! Который дал ей, ничтожной, свое известное имя, одарил своим чувством, вывел в великий и прекрасный мир! Черная неблагодарность!

Извеков закрыл лицо ладонями, и казалось, что он рыдает. Вера обомлела. Вениамин Александрович стонал и мотал головой. Она не могла более сносить его терзаний и бросилась перед ним, обнимая его колени.

— Папа, не убивайтесь так! Она никогда не была достойна вашей любви!

— Нет, все кончено, все меня оставили! — Извеков казался безутешным

— Я, я с вами навеки! Я никогда не покину вас! — Вера порывисто обняла отца.

Тот прижал ее голову к груди, потом неожиданно отпрянул и точно увидел ее впервые в жизни.

— Да, только ты осталась со мной, мое дитя! Ты мой самый верный и преданный друг! Мы не расстанемся с тобой, уж ты не покинешь меня! Ведь не покинешь, Вера? — Он заглядывал в ее заплаканные глаза.

Она мотала головой и прижималась к нему еще сильней. Так, плача и обнявшись, они просидели долго. Часы в столовой пробили семь, Извеков поднялся с протяжным вздохом и, продолжая охать, пошел в кабинет. Его дочь еще некоторое время сидела на полу, размышляя о том, как теперь они прекрасно заживут вдвоем. Наконец ее, Веру, никто не будет заслонять. Нет ни прекрасной матери, ни ненавистной мачехи. Отныне она будет везде и всюду сопровождать отца, красоваться на приемах рядом с ним. С ней будут знакомиться, о ней будут говорить, ею станут интересоваться. Как же, дочь Извекова! Теперь она и только она — хозяйка дома, повелительница прислуги. Вера поднялась с пола, выпрямила спину. Оглядела себя в зеркало. Что ж, пожалуй, настало время играть новую роль. Она Горская-Извекова! Вера горделиво улыбнулась сама себе. И в это мгновение ей показалось, что она стала наконец-то похожа на свою мать. А раз так, она, занявшая место рядом с отцом, имеет право на материны украшения и наряды.

Улыбаясь, Вера поспешила к отцу, чтобы поделиться с ним новыми мыслями, которые, без сомнения, должные его утешить. Подойдя к дверям, она постучала. Ответа не последовало. Девушка постучала сильней. Не может быть, чтобы после такого единения сердец, эмоционального порыва он не пустил ее. Из-за двери до ее слуха донеслось слабое позвякивание. Нет, милая Вера, есть еще одна соперница, которую тебе не одолеть, которую батюшка предпочитает всему!

Отправив мужу письмо, Оля успокоилась. Намерения ясны, решение принято. Осталось ждать. Ждать, когда придет письмо, а затем ответ на него. Ждать, пока Извеков согласится на развод и начнет хлопотать. То, что он согласится, она не сомневалась. Теперь, когда у нее на руках оказались бесценные бумаги, обнаруженные в кабинете писателя.

Ольга решила не терять времени попусту и хотя бы осмотреть Лондон. Но мысли, теснившиеся в ее голове, мешали наслаждаться красотами города, радоваться новым впечатлениям. С таким же успехом она могла бы ходить по улицам какого-нибудь губернского Н-ска. Магазины и лавки могли привлекать внимание, но к чему наряжаться, для кого, кто оценит и полюбуется? Вот-вот! Прав оказался Трофимов, она разучилась жить для себя, все с оглядкой на чужое мнение! Поэтому Оля просто заставила себя зайти в модный магазин и сделать покупки для своего удовольствия. Ей пришлось преодолеть ужасную робость, она так смущалась, что напрочь забыла все английские слова. Однако вышколенные приказчики смогли понять ее и без слов. Оля и испугаться не успела, как перед ней оказались разложенными новинки белья, чулок, корсеты. Вот уже натягивают на нее шуршащее платье и миленькие ботиночки. Снимают с полок коробки со шляпами, украшенные цветами, перьями, птицами, фруктами. Вечером того же дня она встретила Трофимова, и тот ахнул, до чего хороши оказались обновки. Оля просияла, хоть кто-то оценил ее мучения!

Они пошли по широкому бульвару, Извекова держала спутника под руку. Должно быть, они хорошо смотрелись вдвоем! Во всяком случае, Оле так казалось. И как бы сложилась ее жизнь, согласись она тогда, девять лет назад, на его предложение? Вот так бы шли под руку, смеялись или обсуждали домашние дела. Говорили бы о детях. Оля вздохнула, подумав о потерянной малютке. Вот еще один смертный грех Извекова, которому нет прощения!

Ольге было приятно идти рядом с Трофимовым. От него исходили спокойствие и уверенность. Его рука, на которую она опиралась, казалась сильной, надежной! Одно печалило молодую женщину. Бориса она теперь не интересовала совсем. Он опекал ее как друг, не более того. И почему время нельзя поворотить вспять! Как бы она поступила, если бы вдруг снова оказалась юной незамужней девицей, кого бы она предпочла, зная наперед весь расклад? Оля даже споткнулась, Борис заботливо поддержал ее под локоть. Извекова медленно шла по бульвару, не зная ответа. Трофимов между тем повествовал о новых способах борьбы с инфекциями.

«Нет, я совсем ему неинтересна! Но ведь он и сам, в сущности, не изменился, нечто подобное он толковал и будучи студентом, когда, по его словам, был страстно в меня влюблен! Но тогда эти разговоры только смешили или раздражали меня. Почему же теперь мне так неприятно слушать о его изысканиях? Неужто любовь к нему догнала меня только сейчас? Как это некстати! Я не хочу больше никого любить! Или наоборот — мне хочется хорошего высокого чувства и прочной искренней связи? Бог ты мой, я совсем запуталась! Бедный папа! Как мне тебя не хватает!»

На глазах ее сверкнули слезы.

— Оля, да вы не слушаете меня совсем! — Трофимов смотрел на спутницу строго, как учитель в гимназии, когда ученица не выучила урока.

— Признаться честно, да! — Ольга понурила голову. — Я все думаю... — Она запнулась. — К чему мне развод, свобода? Что мне с ней делать? Муж прав, я не смогу жить одна, не потому что беспомощна, а потому, что одиночество для меня немыслимо! Послушайте, Борис Михайлович! — вдруг с жаром воскликнула Оля. — Быть может, вы способны простить меня, забыть ту боль, что я принесла вам, и... избавить меня от одиночества?

Оля, выдавив из себя последнюю фразу, покраснела. Смелость ее иссякла мгновенно, как только слова были произнесены. И в тот же миг она раскаялась в содеянном и устыдилась. Лоб ее покрылся бисеринками пота. Ольга не относила себя к свободным феминисткам, но в данный миг она совершила деяние, на которое не всякая женщина способна. Сделала предложение мужчине! Трофимов молчал, и его молчание становилось мучительным и неприличным. Он понимал нелепость ситуации, но растерялся совершенно, язык отнялся, мысли все перемешались. А ведь он, внимательно наблюдая за Олей, ожидал чего-то подобного! И придумывал разные речи, которые именно сейчас напрочь вылетели из головы. Сердце бешено стучало. «Предательское сердце, о чем ты так громко стучишь? Неужели ты хочешь убедить меня в том, что ничего не прошло и не забыто? Любовь жива и готова вырваться из тисков железного разума? О, нет! Это слишком больно!»

Они стояли друг против друга и не смотрели в глаза. Пешеходы обтекали странную пару широкой волной, а они застыли, не решаясь идти или говорить.

— Господи! Как нелепо и стыдно! — наконец промолвила Извекова и хотела повернуть в сторону от спутника, но тот живо удержал ее за рукав.

— Нет! Вам нечего стыдиться! Вы были искренни! Признаюсь, я ждал подобных слов. Ждал их, и вместе с тем они стали для меня неожиданными. Неожиданной оказалась и та буря, которая помимо моей воли бушует во мне. Вот видите, я тоже честен и искренен с вами. Я не рисуюсь. Но я... я не готов сейчас любить, как прежде. И вы должны понять меня, слишком сильно было мое чувство к вам тогда, и много усилий ушло на то, чтобы вытравить его из себя!

Она снова сделала движение, чтобы уйти и покончить с тягостным и постыдным для нее разговором. Но теперь Борис уже крепко держал ее за руку.

— Однако это не значит, что я отвергаю возможность нашего союза. Послушайте, мы взрослые люди, вы уже не невинная девица. Замужняя женщина. Мы могли бы попробовать быть рядом, привыкать друг к другу. Заново узнавать. Мы будем вместе выращивать наше чувство, нашу любовь.

— Выращивать любовь? — Оля слабо улыбнулась. — Должно быть, это очень прихотливое созданье.

Ее улыбка обнадежила Трофимова. Он поцеловал ей руку, хотя Ольга и не произнесла слов согласия. Когда они подошли к дому, где Извекова снимала квартиру, они снова, уже в сотый раз за день, остановились в смущении. Оба подумали об одном и том же.

— Мы не будем торопить нашу любовь, — тихо произнес Борис и первый раз в жизни прикоснулся губами к ее губам, вдохнул ее аромат и поклонился на прощание.

Она поднялась к себе и долго сидела, не снимая шляпы и верхней одежды. Прежняя жизнь, полная домашних хлопот, Извеков, его дети, его книги, ее страдания, унижение — все отошло очень далеко, как будто и не было этих девяти лет. Вечернее солнце посылало в окошко последние лучики, они подбирались к стулу, на который Ольга опустилась, робко трогали край ее платья, чертили причудливые фигуры на полу. Лучи надежды, нового счастья, новой жизни?

Глава 36

Массивная дверь темного дерева отворилась, и Вениамин Александрович крикнул в глубину комнат:

— Вера! Вера! Да поди же ты сюда!

Весь его вид выражал крайнее раздражение и недовольство собой, дочерью, окружающим миром. Сидевшая с вязаньем в столовой Вера вздрогнула и с нежеланием поднялась. Она уже заранее знала весь предстоящий разговор и то, что за этим последует. В таком состоянии Извеков пребывал, когда очередной роман не выходил, перо затупилось, а издатели нажимали и сроки иссякали.

— Отчего тебя никогда не дозовешься! — Извеков даже ногой топнул.

— Вы несправедливы! Я пришла тотчас же, как услышала ваш голос!

— Нет! Это ложь! Ты сначала делаешь вид, что не слышишь, а потом еще плетешься нога за ногу!

— Я пришла сразу, — тихо и как можно миролюбивей произнесла Вера, стараясь погасить нарастающую бурю, которая частенько возникала просто на пустом месте.

— Хорошо, пусть так. Ступай тотчас же в издательство, найди там Короткова, ты его знаешь, и скажи, что до конца месяца рукопись никак не выйдет, я не успеваю, хоть убейте меня!

— Но это невозможно, папа! Он ведь и так дал вам второй месяц отсрочки! Я и в прошлый раз ходила, не могу, мне стыдно!

— Глупости какие! — Извекова трясло от раздражения и упрямства дочери. — Какой еще стыд! С тебя как с гуся вода, а я и впрямь не могу смотреть ему в глаза!

— А вы позвоните ему по телефону, — осторожно предложила дочь.

— Ты просто не хочешь мне помочь! — прорычал романист и хлопнул дверью.

Вера снова вздрогнула и какое-то время продолжала стоять перед закрытой дверью. Подобные вспышки недовольства и злобы в последнее время участились. Хотя, если подумать, они нередки были и прежде, только все это мало задевало девушку, ведь в основном все удары принимала на себя сначала мать, а потом мачеха. Теперь, когда они остались вдвоем, Вера оказалась единственным объектом, на которого Извеков выливал свое раздражение. Отец выражал недовольство по любому поводу. То плох обед, то посуда недостаточно блестит, то карпы несвежи. Пыль на рояле, цветы завяли, их забыли переменить с вечера. Погода дурная, дождь моросит. Солнце слишком ярко светит. Газеты всякую дрянь публикуют. Власть беспомощна, городская управа проворовалась. Нравы грубые, народ тупой. Грязь на черной лестнице, и вонь такая, что в кухню тянет.

Все чаще Вениамин Александрович подолгу сидел в кресле после трапезы, не в силах двигаться или работать. В такие минуты он принимался рассуждать на разные темы, и дочь поначалу поддерживала беседу, до тех пор, пока не обнаружила, что отец часто говорит об одном и том же. Его мысль точно ходила по кругу. Порой было даже трудно понять, о чем он толкует. Вера удивлялась, но не смела указывать ему на странности в его рассуждениях. Многие изрекаемые им истины, если бы они оказались произнесенными другими, менее именитыми ораторами, смело можно было отнести в разряд пустых и банальных. Возвращаясь позже мысленно к услышанному, Вера недоумевала. Ведь не может же великий писатель, властелин умов и покоритель сердец быть при ближайшем рассмотрении просто стареющим недалеким пьяницей, снедаемым честолюбием и гордыней? Девушка уже не раз именно так думала об отце, но тотчас же пугалась, гнала эти мысли прочь. Хотя алкогольные возлияния уже не являлись секретом, тем не менее оба старательно делали вид, что порок остается в тайне. Вера не знала, как противостоять злу. Однажды она попыталась робко намекнуть отцу на то, что тот губит свое здоровье и топит в вине талант. Последовавшая гневная и злая отповедь, полная желчи, обидных и грубых слов принудила девушку незамедлительно капитулировать и больше никогда не возвращаться к запретной теме. Себе дороже!

Вениамин Александрович требовал, чтобы Вера была рядом постоянно. Он стал бояться умереть во сне, и ей надобно было заходить к нему по нескольку раз и ночью, и днем, когда он изволил почивать. Прислушиваться к его дыханию, поправлять подушки и одеяла. Девушка почти перестала бывать где-либо одна. Если она собиралась на прогулку или по магазинам, Вениамин Александрович с таким унылым видом долго и мелочно напутствовал ее, что чаще всего она с тяжким вздохом оставалась дома. Если ей все же удавалось уйти, то непременно надо было вернуться вовремя, доложить о встреченных знакомых, о всяческих виденных деталях и мелочах. Невольно Вера стала вспоминать мачеху. Ведь неспроста от ее безумной любви не осталось и следа!

Но бывали и светлые дни, как прежде, когда Вениамин Александрович глядел молодцом, куда-то исчезали мешки под глазами, он шутил, смеялся, великодушно сорил деньгами и щедро проливал на Веру свою любовь и заботу. За это она обожала его еще сильнее, прощала, жалела, угрызалась своим дурным тайным намерениям. Ведь порой ей казалось, что она готова так же, как Ольга, исчезнуть из родного дома, бежать, бросить Вениамина Александровича наедине с его творчеством, героями и героинями. Пусть они терпят его ужасный характер! Извеков подозревал, что в голове дочери могут рождаться подобные планы.

— Знаю, знаю, ты хочешь оставить старого отца в одиночестве, бросить на произвол судьбы!

— Вы напраслину на меня возводите! Куда мне бежать от вас! Что я без вас!

— Вот-вот! Ты правильно мыслишь! Не забывай, чья ты дочь! Тебе выпала завидная судьба прожить жизнь рядом с гением! А это ох как несладко! Я знаю, — он мягко улыбнулся, и голос его стал нежным, — тебе со мной очень нелегко. Но что поделаешь, это естественная плата за редкую судьбу. Ты потом будешь писать мемуары о своем знаменитом отце, тебе достанутся все мои посмертные издания и переиздания, моя слава при жизни и после нее.

Вера вздохнула, ей неприятен был этот разговор. Но отец не понял значения ее вздоха.

— О чем ты грустишь? О том, что тебе не досталась обычная затрапезная жизнь? Ты бы желала выйти за какого-нибудь ничтожного человечка, родить ему детей и влачить унылое существование, заедаемое бытом?

Вера вспомнила, как нынче с утра выговаривала кухарке, потом долго и безуспешно пыталась привести в порядок тетрадь домашних расходов, после бранилась с дворником из-за купленных накануне сырых дров, а еще...

— Но чем же наша нынешняя жизнь веселее, осмысленней жизни иных обывателей? — неуверенно спросила она.

— А тем, что даже в простых житейских вещах существование творческих людей наполнено другим смыслом, светом божественного огня! — Извеков даже зарумянился от своей пафосной речи.

Вера пожала плечами. Какая разница, обед, дрова, прислуга, провизия у них в доме или у каких-нибудь мещан Пупкиных?

— Так, значит, ты страдаешь о замужестве? — изрек Вениамин Александрович с таким видом, с каким обычно врач ставит окончательный диагноз пациенту. — Но ты не понимаешь, Вера, что все эти олухи, которые вьются вокруг, они не для тебя! Ведь ты особой породы, для тебя должен найтись особенный жених! Ты как редкий бриллиант! Ты не можешь пойти за кого попало!

Вера обычно слушала отца и не пыталась ему перечить, но тут она не смогла стерпеть, Извеков наступил на больную мозоль ее исстрадавшейся от одиночества души.

— Где эти мифические толпы женихов? Вокруг давно нет никого! Мы нигде не бываем, никого не принимаем, а если кто и появляется, то вы так нелюбезны, что они исчезают тотчас же! Откуда же взяться кандидату в мужья? Может, из книжки вашей выскочит подходящий жених?

Почти прокричав это, Вера готова была разрыдаться.

— Ну, вот еще, полно! — Вениамин Александрович растерялся.

Он и не подозревал, что Вера столь болезненно переживает свое девичество.

— Может, тебе приглянулся кто, скажи мне, а то я на старости лет стал совсем слеп, сижу как крот в своем кабинете-норе и не понимаю, что с моей бедной девочкой происходит.

Отец и дочь обнялись. Вера тотчас же успокоилась и, вытирая нос платком, пробормотала:

— Несмотря ни на что, господин Пепелищев...

Извеков резко отодвинулся.

— Да ты с ума сошла! И это после всего, что было! Впрочем, женщины отходчивы, они многое прощают, но я не прощу ему ни твоего унижения, ни его флирта с Ольгой! Ко всему прочему, я слишком хорошо его знаю. — Он на секунду замолчал и закончил: — Вместе грешили.

Вера поникла головой. Эта последняя откровенность была всего дороже для нее. Семейный позор, история с Бархатовой, смерть Кирилла, бегство мачехи — за все винился Вениамин Александрович. Они помолчали. Беседа увяла. Извеков начал внутренне раздражаться, его давно нестерпимо тянуло в кабинет.

— Не печалься, детка! Уже нынче пойдем в театр, поедем гулять, словом, все что хочешь! А ведь мне, однако, надобно снестись с Коротковым! Работа не ждет!

Писатель поспешил в свой кабинет. Вера слышала, как щелкнул замок. Она не видела, но почти зримо представляла себе, как он чуть ли не бегом направляется к заветному шкафчику, торопливо плещет в стакан настойку и делает несколько больших глотков. Потом садится за стол и замирает над рукописью.

К обещанию грядущих развлечений она отнеслась скептически. Обещания не раз бывали, но редко выполнялись. Когда они выходили в свет, Вера испытывала огромный подъем. Это и были те мгновения, ради которых она терпела домашнюю рутину, капризы отца и прочие семейные неприятности. Только тогда Вера наслаждалась жизнью, стоя среди восторженных почитателей таланта Извекова, друзей и недругов, тайных и явных, она купалась в лучах его известности, его шарма и неотразимости.

Особенно приятно было девушке, когда и она сама становилась объектом внимания. Ей говорили, что она очень похожа на мать, что удивительным образом сочетает в себе два гениальных начала. Вера теперь была вхожа в круг знакомств отца, с ней вели беседы на равных его товарищи по литературному цеху, издатели и журналисты. К сожалению, подобные минуты стали совсем редки. Извеков быстро покидал собрания, и со временем Вера поняла, что он боится напиться и публично потерять лицо.

Она гордилась тем, что он привлекает ее к своей работе, ездила по его поручениями, переписывала рукописи, делилась мыслями о сюжетах. Но в последнее время ей приходилось сталкиваться с неприятными моментами. Когда она приходила в редакцию с рукописями, а чаще с пустыми руками и просьбой об отсрочке, она встречала сначала холодное недоумение, потом явное недовольство, а вскоре и пренебрежительные высказывания об исчерпанных возможностях литературного таланта ее отца. Не стесняясь ее присутствия, вслух говорилось, что Извеков уже не тот, исписался, поскучнел, словом, вышел в тираж.

Вера возвращалась домой, трясясь от возмущения и гнева. Как могут они, жалкие и убогие кабинетные крысы, выносить приговор творческому человеку! Она пыталась скрывать от Вениамина Александровича неприятные подробности, но он обладал удивительной способностью словно клещами вытаскивать из нее каждое слово, сказанное о его персоне. Напитавшись злыми известиями, он мрачнел, уходил в кабинет и предавался выпивке. Вере оставалось только терпеть и ждать просветления.

Глава 37

Матильда Карловна собиралась спешно покинуть Петербург. Дуэль наделала много шума, и пребывание молодой женщины в столице стало невыносимым. Многие семейства захлопнули перед ней дверь. Прежние знакомые, так много времени проводившие в ее гостиной и спальне, поспешили сделать вид, что и не знают ее вовсе, или, того хуже, выступили с осуждением ее преступной порочности, приведшей к гибели столь достойных молодых людей. Мать покойного Юрия открыто обвинила Матильду в злонамеренном умерщвлении и старого Бархатова, и молодого наследника. Это уже попахивало настоящим полицейским расследованием, поэтому Мати решила не дожидаться появления следователя и временно удалиться из столицы. Тем более что скандал не утихал. Жадная до жареных новостей петербургская публика страстно хотела узнать подробности взаимоотношений, приведших к кровавой драме, особенно, когда дело шло о семье знаменитого романиста. Надо отдать должное Пепелищеву, который, как популярный журналист, был вхож во многие кабинеты и имел множество влиятельных знакомых. Благодаря его энергичным стараниям об этом деле в газетах писали глухо и скупо. Арестовывать было некого, оба дуэлянта скончались. Однако имена Извековых и Бархатовой склоняли без конца.

Матильда старательно пыталась соблюсти приличия и хоть так умерить пыл своих хулителей. Она оделась в траур и вела себя подобающим образом, скорбя об обоих погибших. Однако на похоронах злополучного Юрия произошла совершенно безобразная сцена. Мать его с искаженным от ненависти лицом сначала обрушила на голову Матильды поток грубых оскорблений, густо перемешав свою речь площадной бранью, справедливо полагая, что дамочки подобного роды достойны только таких определений. Затем, зайдясь в истерике, она бросилась на ненавистную злодейку и попыталась вцепиться ей в лицо и шляпу. Несчастную обезумевшую старуху насилу оттащили и долго отпаивали успокоительными каплями. Дорогая парижская шляпа с тончайшей вуалью-паутинкой оказалась совершенно испорченной. Пострадало и лицо Матильды.

И вот теперь известие о возможном уголовном преследовании! Нет, это безумие надо остановить. В конце концов, это несправедливо и жестоко! Никому в голову не пришло пожалеть ее, Матильду, потерявшую любимого человека, с которым она действительно собиралась связать свою беспутную жизнь. Как она ненавидела окружающий мир, и как этот мир ненавидел ее! Но куда податься? Для выезда за границу нужен паспорт, стало быть, надо идти в полицию, чего совершенно не хотелось. Куда же запрятаться, где преклонить голову?

И тут совершенно неожиданно Бархатова поняла, что ей следует отправиться на богомолье по далеким и глухим монастырям. Затеряться в сером невзрачном платке и простой одежде среди многочисленных паломников. Отдохнуть душой, собраться с мыслями. Она кликнула горничную. Когда девушка вошла, хозяйка оглядела ее с ног до головы и приказала принести ее неброские дешевые платья. Та исполнила просьбу, пребывая в глубоком недоумении. Оно еще больше усилилось, когда госпожа изволила облачиться в эти одежды и тотчас же преобразилась до неузнаваемости. Теперь она могла сойти за бедную мещанку или гувернантку. Взамен хозяйка швырнула прямо в руки оторопевшей горничной охапку роскошных платьев и белья.

Спешно паковались дорожные сундуки и саквояжи. Оставалось последнее — навестить незабвенного Кирюшу. Матильда, будь ее воля, дневала бы и ночевала на могиле любимого мальчика. Но, увы, родня похоронила его рядом со знаменитой матерью, на Новодевичьем кладбище, где всегда полно посетителей, скорбящих и любопытствующих, поэтому крайне редко ей удавалось оказаться здесь одной. К тому же почти постоянно она встречала на кладбище Веру Извекову и почему-то никогда самого Вениамина Александровича. Вот и теперь обе женщины подошли к могиле Кирилла почти одновременно. У Матильды даже сложилось впечатление, что девушка тут просто поджидала ее.

Сухо поклонившись, обе дамы выразительно посмотрели друг на друга. Предполагалось, что Бархатовой придется уйти первой. Однако Матильда медлила. Когда еще ей доведется посетить дорогую могилу? Она вздохнула и произнесла:

— Просто удивительно, Вера Вениаминовна, что случай раз за разом сводит нас в этом месте!

— Что может быть удивительного в том, что я постоянно оплакиваю своего несчастного брата, погубленного вами! — холодно ответила Вера, смерив собеседницу надменным взором.

— Вы вправе думать, как вам угодно, и я не собираюсь оправдываться перед вами и вообще перед кем-либо еще! Для меня есть иной суд, и Господь, я верю, простит меня за мои страдания! Ведь вам не понять меня! Мы из разных миров! — Матильда горячилась и одновременно сердилась сама на себя. Зачем она заговорила с этой глупой самодовольной девчонкой!

— О, да! — Вера саркастически улыбнулась. — Мы из разных миров, в этом вы правы! Но мне бы хотелось понять таких, как вы, беспринципных и безнравственных, эгоистичных особ, которые без дрожи швыряются судьбами других людей!

— Вы действительно хотите понять? — Бровь Матильды выразительно изогнулась. — Ну, милая, тут вы неоригинальны, вы повторяете путь своей мачехи. Та тоже очень хотела понять, каково живется столь безнравственным, как вы выразились, особам. Примерить порок на себя! И что же? Он оказался ей впору! Где теперь добродетельная матрона? Ищи-свищи ветра в поле! Так и вы, милая девушка, маетесь от своей добродетели. Не знаете, куда, в какой дальний угол ее засунуть. Я привлекаю вас, вы жаждете приобщиться к моей жизни, она будоражит и манит вас! Не так ли?

Вера покраснела. В глубине души она действительно часто думала о Матильде. Ей рисовались непристойные картины, наподобие тех, которыми частенько развлекаются прыщавые гимназисты для утоления жажды взрослеющей плоти. Она представляла Матильду со всеми ее доступными прелестями и каждого участника драмы. Она думала не только о ее порочности и распущенности. Но и о ее свободе, телесной и духовной, той свободе, которой Вера была лишена напрочь.

— А, вы покраснели! — усмехнулась Бархатова. — Значит, я угадала. Тогда вот вам мой совет напоследок. Отдайтесь первому встречному, иначе вы в скором времени зачахнете на корню, да так, что даже громкое имя вашего папаши не заставит никого полакомиться перезревшим и полусгнившим фруктом!

Вера ахнула от возмущения. Гнев и омерзение переполнили ее.

— Гадкая! Какая вы гадкая! Ненавижу вас! Вы мне омерзительны!

— Пожалуй, это не самое страшное в моей жизни, — спокойно заметила Матильда, — а вы, милое и непорочное дитя своего развратного отца, пропадете, совершенно пропадете!

— Это вы пропадете в омуте своего порока! — с ненавистью крикнула Вера.

— Я уже пропала, — вздохнула Бархатова и подошла к надгробию Кирилла. Положила на него руку и несколько секунд стояла, замерев. Потом, не попрощавшись с окаменевшей от негодования и ненависти Верой, быстро пошла к воротам кладбища, за которыми ее ждала пролетка.

Эта встреча не выходила у Веры из головы. Ее замкнутый, зависимый от прихотей отца образ жизни все больше наводил на мысль, что проклятая развратница права! Но где взять его, этого первого встречного, и самое ужасное, как действовать дальше, реализуя совет Бархатовой? Пока девушка размышляла, первый встречный явился в лице бухгалтера Антона Антоновича Яблокова.

Однажды, когда и лето, и дачный сезон были уже на исходе, когда горожане потянулись в петербургские квартиры и количество дачных соседей стало стремительно уменьшаться, Вера, и без того маявшаяся от одиночества и скуки, впав в совершенную меланхолию, удрученно брела по тропинке вдоль залива. Извеков поначалу тоже было собрался прогуляться, но в последний момент набежавшая тучка погасила его пыл. Вера, несмотря на возможность дождя и нежелание отца отпускать ее одну, все же вырвала час-другой мнимой свободы. Ветер гнал волны, жизнерадостными белыми бурунами они набегали на прибрежные камни, слизывали песок, подбираясь под самые корни деревьев. Тропинка петляла среди кустов и высокой сырой травы. Подол ее платья быстро намок, и пришлось высоко поднимать его рукой. Другой рукой Вера придерживала шляпу, которая, хоть и была приколота огромной булавкой, но все равно могла быть сорвана порывом ветра. Выйдя на открытый кусочек берега, Вера остановилась и посмотрела в даль моря. Как хорошо, как просторно, как славно вот так лететь, плыть и не думать ни о чем! Пусть ветер рвет шляпу, равевает унылые мысли! Скоро осень вступит в свои права, и они вернутся в город. Что ждет ее там? Наверное, приедет погостить Павел, он обещал. Но теперь, когда он получил место и стал инженером, он совсем перестал их навещать, и даже более того, уже сторонится семьи. Вера чувствовала, что брат не простил отца, что он во всем винит только его. Смерть Кирилла развела их навсегда. Изредка приезжая в гости, Павел оставался совсем недолго, с отцом говорил мало и почему-то иронично.

Что такое писательство? Миф, пустота, напрасная трата времени! Для чего? Развлекать скучающих дамочек, курсисток, инфантильных олухов, которые ничего не могут сделать своими руками? Вот его, Павла, дело — это настоящее занятие для мужчины! Строительство железных дорог — великая польза для процветания Отечества. Это вам не пустая говорильня о судьбах России! Вера чувствовала, что за рассуждениями брата стоит нечто иное, тут не просто укоризна отцу или нелюбовь к писательскому труду. Но что именно, оставалось для нее непонятным. Несколько раз она порывалась пожаловаться брату на свою жизнь и, быть может, даже попроситься жить вместе с ним, но, к своему глубокому разочарованию, не встретила ни понимания, ни сочувствия. Как это грустно, что от детской любви и дружбы, которые, как ей казалось, существовали раньше, не осталось и следа.

— Ты, сестра, от жиру бесишься, — ответил на ее жалобы Павел. — Скучно тебе, да папенька заедает. Самостоятельности хочешь — так пойди в земские учительницы. Хлебни непосильного труда за жалкие гроши, повозись с сопливыми и грубыми крестьянскими детьми, поживи в глуши с волками, поскучай зимой на печке в грязной избенке, тогда все нынешние горести тебе покажутся просто весельем!

Слова брата показались ей жестокими и несправедливыми. И вообще, он стал какой-то чужой и холодный. Одевался нарочито просто, курил дешевые папиросы, отрастил бороду, которая старила его лет на десять. А однажды он признался сестре в порыве откровенности, что частенько, когда его спрашивают, не сынок ли он знаменитого писателя, он отвечает, что однофамилец. Это покоробило и оскорбило Веру...

За спиной раздался шорох травы и листьев. Девушка испуганно обернулась. За спиной стоял молодой человек. Весь его вид наводил на мысль о том, что он давно тут стоит и следит за ней. В голове пронеслись газетные заметки уголовной хроники о случаях насилия над молодыми девицами, легкомысленно гуляющими в одиночестве. Незнакомец был невысокого роста, одет в светлую недорогую чесучовую пару. Его можно было даже назвать полноватым. Переминаясь с ноги на ногу, он снял шляпу и учтиво поклонился. Ну, слава богу, значит, насиловать ее не собирается! Вера холодно и с достоинством кивнула.

— Мадемуазель, я вас побеспокоил, испугал?

Он произнес это высоким голосом с каким-то мягким выговором.

— Нет, вы не производите впечатления человека, которого следует опасаться, — ответила Вера и на всякий случай двинулась в сторону дороги к дому.

— Однако позвольте сопроводить вас, не стоит молодой даме гулять одной в безлюдном месте. Тем более что мы почти соседи, я живу в поселке, снимаю дачу, и вы, по-видимому, тоже?

Вера усмехнулась. Все мало-мальски значимые и интересные соседи были ей знакомы и знали, кто она и где живет.

— С чего вы решили, что я тут тоже живу? — поинтересовалась девушка.

— А я видел вас несколько раз в поезде и на станции. Уже тогда я решил, что с такой барышней хорошо бы познакомиться. Кстати, позвольте представиться, Яблоков Антон Антонович, служу бухгалтером в страховом обществе.

— Извекова Вера Вениаминовна, — бесстрастно произнесла Вера, ожидая, что спутник ахнет, начнет лепетать нечто несуразное, смутится, но ничего ровным счетом не произошло.

Бухгалтер улыбнулся и еще раз поклонился. Вера застыла в изумлении. Он не знает писателя Извекова! Да еще проживая в двух шагах от его дачи! Вот почему он так смело решил предложить ей знакомство!

— И что, интересно, привлекло вас в такой барышне, как я? — полюбопытствовала девушка.

Еще бы, в кои-то веки ей выпал случай узнать истину, без примеси лести, ореола отцовской известности.

— Извольте! — собеседник приободрился. —

Я, как вы уже знаете, бухгалтер, человек скромный, но не без средств.

Вера скользнула глазами по его безвкусному дешевому костюму.

— Все, что имею, заработано честным трудом. Я человек основательный, с принципами, без особых претензий, хотя себе цену знаю. Во мне нет броской красоты, эдакой павлиньей яркости...

Вера недоуменно кашлянула.

— Да-да! Понимаю! — Он закивал и почему-то убыстрил шаг. — Так я к чему все это говорю? Я мечтал найти барышню под стать себе, такую же скромную, благовоспитанную, без излишней броскости и современной пошлой раскованности. И когда я первый раз увидел вас в поезде в начале лета, я сразу вас заприметил и решил, что вы — это и есть мой идеал во плоти, так сказать.

Вера остановилась. Такого удара ее самолюбие не могло вынести. Прямо в лицо ей была преподнесена голая незатейливая правда, которая состояла в том, что она, Вера Извекова, без своих известных родителей ничего собой не представляет. И человеку постороннему кажется просто серой невзрачной мышью!

В конце тропы виднелся сад с домом.

— Вы знаете, чей это дом? — спросила она спутника ледяным голосом.

— Какого-то писателя, — тот равнодушно пожал плечами, не понимая, при чем тут этот вопрос.

— К вашему сведению, это дача моего отца. Знаменитого писателя Извекова, и я теперь направляюсь прямо туда! — со злорадством произнесла Вера.

Новый знакомый снова пожал плечами. Весь его вид означал: «Ведь это твой папаша знаменитый писатель, а не ты!»

— Я извиняюсь, но, увы, видимо, книжек вашего отца не читал. Ничего по сему поводу сказать не могу. Я вообще книжек не читаю, моя стезя не буквы, а цифири! — Он улыбнулся, не понимая, как уничижительна в глазах Веры была его самохарактеристика.

Вера поспешно двигалась к даче, стремясь как можно скорее избавиться от неприятного знакомца. Однако каково же было ее изумление, когда, прощаясь, он попросил дозволения навестить ее на даче. То-то удивится Вениамин Александрович, узрев подобного ухажера на пороге своего обиталища! Поэтому, боясь, чтобы Яблоков не заявился прямо домой, она назначила ему свидание на берегу залива.

Они встретились на следующий день, потом снова и снова, хотя всякий раз вырваться из-под надзора ей было непросто. Вера ходила на свидания со странным чувством гадливости и любопытства. Думая о новом ухажере, она решила поставить эксперимент. Сможет ли она побороть свою брезгливость и воплотить в жизнь наставление Бархатовой? Воистину первый встречный! А Яблокову, судя по всему, было невдомек постичь изощренные рассуждения «добропорядочной барышни». Он ухаживал со всеми атрибутами данного процесса, полагая, что произвел на девицу должное впечатление своей солидностью и основательностью, присущими бухгалтеру. Мысль о том, что они принадлежат к разным мира, не приходила ему в голову. Как человек, напрочь лишенный воображения, он не представлял себе, какие сложные и мучительные сомнения могут одолевать молодую девицу. Какие мысли, какие сомнения, если у него самого их нет? О чем думает барышня? Платьица, цветочки, кошечки и прочая дребедень! Папа-писатель его тоже не пугал, так как он и представить себе не мог, что такой положительный молодой человек, коим он является, мог не понравиться здравомыслящему отцу. Тем более невооруженным глазом видно, что Верушка, как он ее теперь называл, явно засиделась в девушках. Оно и понятно, особой красы в ней нет. Черты лица резковаты, как у горских женщин, он картинки видел в гимназической хрестоматии, где о кавказских народах написано. Высока, худовата, нет волнующей мужчин полноты грудей и бедер. Но не беда, красивая жена — хлопот не оберешься. А эта будет знать свое место, уважение иметь к мужу и почитание. А в остальном все нравилось Антону Антоновичу. Он даже испытывал неведомое ранее волнение, когда спешил на встречу с Верой. Да такое, что, пожалуй, посильней будет, чем когда столоначальник вызывал и разносил его за огрехи и ошибки!

Однажды их прогулке помешал хлынувший дождь, они тотчас же промокли, даже зонты не спасли положения. Дачка, где квартировал бухгалтер, оказалось совсем неподалеку, и Яблоков осмелился предложить спутнице переждать дождь и обсушиться в его скромном жилище. Жилье и впрямь оказалось чрезвычайно скромным и убогим, состояло из двух смежных комнаток, обставленных дешевой мебелью и обклеенных полинялыми обоями. У стены стояла продавленная кровать, покрытая байковым одеялом вызывающе розового цвета. На стене, на гвоздике, вперемежку с олеографиями висела какая-то одежда. На столе стопочкой возвышались бумаги, кучкой лежали карандаши, видимо, бухгалтер и на даче не расставался со своими «цифирями».

Оглядев жилище Яблокова, Вера вдруг приняла решение, тем более что вряд ли такая возможность представится еще. Ведь она не собиралась продолжать нелепое знакомство в Петербурге, куда они с отцом должны были вот-вот отъехать. Яблоков засуетился, побежал куда-то подогреть чаю да растопить печь, чтобы высушить одежду. Вера, помедлив, сняла сначала шляпу, ставшую от воды бесформенной, а потом жакет, блузку, и, наконец, тяжелую мокрую юбку. Вбежавший Антон Антонович оторопел, узрев предмет своих воздыханий, облаченный лишь в сорочку и панталоны. Девушка стояла, повернувшись к нему спиной, расплетая мокрые пряди волос. Яблоков заметался: он не знал, как поступить. В тесном и убогом жилище податься было некуда. Он робко кашлянул, Вера обернулась, но не предприняла никаких попыток тотчас же восполнить отсутствие гардероба. Эта смелость поначалу очень насторожила Яблокова, но только в первую секунду, потому что в следующий миг его сознание уже не могло сухо анализировать происходящее. Как завороженный, он двинулся навстречу оголенным плечам и рукам, перетянутой шелком груди, бедрам, спрятанным за кружевом панталон. Первый поцелуй пришелся неведомо куда, Вера отвернулась, чтобы не лицезреть выражения лица Антона Антоновича. Все последующие события оказались совсем малоприятными и очень-очень неэстетичными. Удовлетворив страстное чувство на кровати с розовым пледом, Яблоков долго отдувался и блаженно улыбался, будучи таким же розовым, как одеяло, и потным. Вера поспешно одевалась в сырую одежду, содрогаясь от омерзения, холода и ощущения физической нечистоты. Зато теперь она могла торжествовать. Путь к духовной и телесной свободе по образу и подобию госпожи Бархатовой отныне для нее открыт! Но только удовлетворения не наступило. Наоборот, ничтожность скороспелого любовника, его жалкая возня на ее теле глубоко оскорбляли ее чувствительную натуру. Антон Антонович между тем, не замечая неудовольствия возлюбленной Веруши, пребывал в полном восторге.

— Стало быть, теперь, драгоценная моя Вера Вениаминовна, нам прямой путь под венец! — пропел он своим мягким голосом. — Правда, честно сказать, я был не готов к столь стремительному развитию сюжета, но если все так сложилось, я, как человек честный и добропорядочный, намерен тотчас же просить вашей руки!

Вера живо обернулась. Пожалуй, так даже и лучше. Пусть ее мужем станет именно такой вот бухгалтер Яблоков. Кто она сама по себе, без имени папы и мамы, — да никто! Поэтому вполне уместно переменить громкую фамилию и стать некой госпожой Яблоковой, Верой Яблоковой. И тогда конец мучениям и самоедству, она станет сама собой. Конечно, они не проживут вместе долго. Она покинет Антона Антоновича еще до истечения медового месяца. Но она уже будет внутренне свободна. Отец утратит над ней власть, даже если она и вернется под родительскую крышу, оставив убогого супруга.

Подумав подобным образом, Вера насильно улыбнулась, окрыленный Яблоков соскочил с кровати и стал помогать ей одеваться. Она с трудом переносила его неумелые прикосновения, борьбу с незнакомыми предметами женского гардероба, непослушными крючками.

— Как, вы сказали, вас зовут? — Вениамин Александрович уже в третий раз задал этот вопрос молодому человеку нелепого вида, явившемуся вместе с Верой после прогулки под дождем.

— Папа! — укоризненно произнесла дочь.

— Ты напрасно сердишься, моя девочка! Я просто в толк не могу взять, о чем вещает этот господин. У меня разом все из головы выскочило, ушам своим не верю! Вы изволите просить руки Веры. Руки моей, МОЕЙ дочери! — Он остановился против собеседника и вперил в него горящий взор.

— Да-с, — смущенно улыбаясь, произнес Яблоков. — Я понимаю, сударь, ваше отцовское расстройство. Все некоторым образом получилось, так сказать, неприлично быстро, но не извольте беспокоиться, я непременно желаю жениться на Вере. Я вам предоставлю полный отчет и о своей жизни, о моих почтенных родителях, своих доходах! Семьсот рублей в год, сударь!

— Отчет о жизни! Семьсот рублей! — застонал Извеков. — Да вы вроде как не в своем уме, милейший. Вы хоть понимаете, в какой дом, к кому пришли!

— Да-с, Вера говорила, что вы какие-то книжки пишете. Но это не страшно, мы вам мешать не будем, мы отдельно поселимся, — продолжал мямлить жених, с лица которого не сходила кроткая улыбка.

— Бред! Бред! Да я вам прямо говорю, Вера вам не пара!

— Но помилуйте! — Яблоков изумленно развел руками. — Отчего же? Мы с Верой Вениаминовной...

— Нет, не желаю этого более выносить! Простите и, ради бога, уходите!

Антон Антонович испуганно попятился. Ему показалось, что его сейчас вытолкают взашей. Он беспомощно взглянул на несостоявшуюся невесту, которая в течение всей этой ужасной сцены не проронила ни слова. Бледная Вера стояла поодаль, глаза ее нехорошо блестели, но она явно не думала об унижении и обиде Яблокова. Помощи от нее ждать не приходилось.

— Ступайте, ступайте, голубчик! — уже совсем миролюбиво проговорил Извеков, видя, что непрошеный гость двинулся к дверям. — Мы все постараемся побыстрее забыть происшедшее неприятное событие, не так ли, Вера?

Бросив последний взгляд на девушку, удрученный и недоумевающий Яблоков двинулся прочь. Когда он удалился, Вениамин Александрович замолчал. Традиционно в такой ситуации благородный отец должен укорять и стыдить свое легкомысленное и оступившееся дитя. Но он, увы, утратил это право! Вера смотрела по-новому, без прежней робости и безоговорочного обожания, и он не рискнул ни упрекать, ни корить дочь.

— Вера, бедная моя деточка, — он легонько обнял ее и всплакнул.

Но девушка, доселе легкая на любые слезы, не ответила потоком покаянных рыданий. Она внимательно прислушивалась к себе. Внутри ее души росли неведомые ранее, странные, нехорошие, опасные чувства и мысли.

На другой день после нелепого сватовства Извековы съехали с дачи и вернулись в Петербург. На бухгалтера Яблокова столь скоропалительный роман и несостоявшееся жениховство подействовали престранным образом. По возвращении в столицу он тотчас же побежал в ближайшую книжную лавочку и потребовал сочинений господина Извекова. Приказчик понимающе закивал головой, как же, самый модный писатель, и выложил перед оторопевшим Антоном Антоновичем целую груду книг.

— Какую изволите взять?

— А что поинтересней будет? — робко промямлил Яблоков.

Лицо приказчика выразило изумление. Как, в наше время нашелся человек, не читавший ничего из Извекова, самого Извекова!

— Пожалуй, эту заверните, — бухгалтер ткнул пальцем в первый попавшийся том. — Впрочем, и эти две тоже!

Придя к себе, отобедав щами и лещом с кашей, он заперся в спальне и принялся за чтение, страшно боясь, чтобы прислуга не застигла его за столь легкомысленным делом. Уже давно наступила ночь, а Яблоков все судорожно перелистывал страницы, глотая главу за главой, дрожа всем телом и представляя в каждой героине книги свою потерянную возлюбленную.

Глава 38

— А вот и наш призрак! — Следователь взял на изготовку свой «смит-и-вессон». — Правда, быть может, в этой ситуации лучше бы сгодился осиновый кол или серебряная пуля? Что ж, сейчас поглядим, какие они собой, пришельцы из потустороннего мира!

Сердюков и Сухневич тихо и довольно быстро побежали обратно, так как звуки послышались из той части дома, где находился кабинет. Герасим же замешкался с ключами. Вольно или невольно, но встречаться с бывшей хозяйкой ему очень не хотелось. Полицейский в несколько огромных прыжков одолел коридорчик и дернул дверь кабинета. Она услужливо распахнулась, хотя, уходя, он ее аккуратно запер. Бумаги, отложенные им в сторонку, исчезли.

— Скорей, вниз, в сад! — крикнул Сердюков и буквально вытолкнул Сухневича наружу.

Выбежав из дома и обогнув угол фасада, они успели заметить, как мелькнула легкая тень, стремившаяся укрыться под сенью деревьев.

— Туда! — Полицейский махнул рукой, и преследование неведомого похитителя продолжилось.

Закутанная фигура двигалась стремительно, легко ориентируясь в ночном саду. Она смутно мелькала впереди, но скоро стало понятно, что движется она к калитке, которая находилась по другую сторону от основного въезда на территорию дачи. Сухневича поначалу охватил восторг, но теперь он явственно видел, что это никакое не привидение, а вполне живой человек. Что ж, порадеть на пользу истины, помочь доблестной полиции тоже лестно, хотя чертовски жаль, что дело оказалось не по его призрачной части.

— Обойдем его с двух сторон, берите влево! — прошипел на бегу Сердюков, и Сухневич послушно повернул налево.

Обступивший его мрак, ветви деревьев, колючие кусты, корни, как нарочно попадавшие под ноги, принудили ловца призраков умерить свой бег. Он перешел на шаг, а потом и вовсе остановился, ему показалось, что он заплутал. Звать полицейского он побоялся, вдруг спугнет преступника? Стараясь дышать как можно тише, Сухневич пригляделся. Глаза понемногу привыкали к потемкам. И тут он обомлел. Впереди, буквально шагах в двадцати от себя, он заметил застывшую темную фигуру. Не раздумывая, Сухневич ринулся с места, настиг беглеца и схватил за край одежды. Человек отчаянно рванулся, раздался треск разрываемой ткани и нечто, похожее на стон. Сухневич попытался ухватить его и второй рукой, но в это мгновение ужасный удар обрушился на его голову. В глазах потемнело, поплыло, пальцы ослабели, и он повалился на росистую землю. Падая, он услышал какой-то грохот, сопровождаемый треском и всплеском света. Затем все исчезло.

Очнулся Сухневич на диване в гостиной дачи Извековых. Он обнаружил себя лежащим с мокрой повязкой на голове. Рядом сидел Сердюков и тревожно смотрел в лицо товарищу. Неподалеку обозначилась фигура Герасима, держащего таз и кувшин с водой.

— Кажись, очухались, — прогудел дворник.

— Как вы, голубчик? — мягко проговорил следователь, наклоняясь к раненому.

— О-о-о! — простонал тот и сделал попытку приподняться, однако голова закружилась, и его затошнило.

— Лежите, ради бога, лежите! — заволновался Сердюков. — У вас, вероятно, сотрясение мозга.

— Но череп вроде цел, — Сухневич провел слабой рукой по затылку. — Дыр нету, все на месте, мозги не выпали. — Он постарался улыбнуться.

— А вы молодчина! — тоже заулыбался Сердюков. — Ловко ее ухватили!

— Ее? — изумился Сухневич.

— Ну, да! Когда вы схватили женщину за плащ и порвали его, она невольно вскрикнула. Этот вскрик услыхали я и ее сообщник, который прятался неподалеку. Он-то и пришел ей на помощь, оглушив вас ударом. Однако я успел выстрелить в темноту наугад и, видимо, попал. Но, скорее всего, не в ногу и не тяжело, потому что они быстро убежали.

— Вот что гремело! А почему вы решили, что попали?

— На земле осталась кровь, я фонарем потом светил, смотрел. Однако беглецы испарились, их за калиткой бричка ждала, я следы колес и копыт обнаружил.

— Но кто же эти люди? — недоумевал Сухневич.

— Увы, мой раненый друг, вы пострадали не за свое увлечение! Это явно не привидения! Сдается мне, надо уже поутру нанести визит хозяевам дачи!

Сухневич тяжело вздохнул и уныло уткнулся носом в подушку. Его мутило, во рту стоял металлический привкус. Герасим захлопотал вокруг, а следователь стал прохаживаться по комнате, погрузившись в глубокие раздумья. Ложиться спать уже не было смысла, надо дождаться утреннего поезда и спешить в Петербург.

Ранний визит следователя поверг горничную в раздраженное недоумение.

— Не принимают! — сердито процедила она, но ее отпор не смутил Сердюкова.

Отодвинув горничную, которая зашипела ему вслед как кошка, он зашагал в глубину комнат. Перед одной из запертых дверей он притормозил.

— Оля, ради бога! Я сделал все, что нужно! Он совершенно в безопасности! Прекрати беспокоиться, все обойдется!

Сердюков слушал бы и дальше, но его догнала горничная и завопила что есть мочи:

— Барыня! Барыня, из полиции опять пришли!

Дверь распахнулась, и на пороге показались бледная, с темными кругами под глазами Ольга Николаевна во фланелевом розовом капоте и незнакомый молодой человек весьма импозантной наружности, без сюртука и с закатанными рукавами сорочки. Хозяйка дома не пыталась на сей раз скрыть свою досаду и злость на явившегося спозаранок Сердюкова.

— Знакомьтесь, господа, — процедила она сквозь зубы и представила мужчин.

Незнакомец оказался Трофимовым Борисом Михайловичем.

— Вы давно прибыли в Петербург, сударь? — осведомился полицейский.

— Вчера, — последовал краткий ответ.

— И позвольте узнать, где вы остановились?

Трофимов невозмутимо назвал гостиницу, где снял номер.

— А не скажете ли мне, где вы пребывали вчера поздно вечером?

— Сначала в номере, потом поехал сюда, оставил визитку, а затем в ресторан.

— А почему вы не остались в этом доме на весь

вечер с женщиной, ради которой, как я понимаю, вы сюда и прибыли? Не потому ли, что хозяйка отсутствовала? — Сердюков не давал Трофимову опомниться и сыпал вопросами.

— Вряд ли уместно мое длительное пребывание в доме, где недавно умер хозяин. Я не хочу компрометировать вдову, к тому же она не одна в квартире. Тут проживают и дети покойного.

— Вот-вот! Кстати, о детях! Я бы желал увидеть Павла Вениаминовича!

— Прямо сейчас? — неприязненно спросила Ольга Николаевна.

— Да, именно сейчас! Если он сладко спит, пожалуйста, разбудите его немедля, время не терпит!

— Это, — Извекова запнулась, — это невозможно.

Следователь видел, как она отчаянно пытается придумать что-либо на ходу. Вероятно, они не успели согласовать свои дальнейшие действия.

— Он отбыл на службу, — выдавила из себя Ольга, но по всему было видно, что солгала.

— Не умеете врать, госпожа Извекова, — довольно резко заметил Сердюков. — Впрочем, можно по полицейскому телеграфу сделать запрос и тотчас же получить ответ, прибыл ли на место инженер Извеков. Так, говорите, когда он отбыл?

— Послушайте, сударь! — вмешался Трофимов. — Ваш тон и ваши требования неуместны! Объясните, по крайней мере, хотя бы причину вашего раннего визита?

Сердюков кивнул с удовлетворением. Так, подыгрывает Извековой, значит, и он в курсе дела!

10 – 2405

— Я, господа, прибыл сюда прямехонько с дачи покойного романиста. Ночью туда пробрались некие люди и похитили бумаги из кабинета писателя. В процессе погони преступник серьезно ранил моего товарища, который по причине своей травмы остался в доме и нуждается в медицинской помощи. Однако и нападавший пострадал. Мне пришлось выстрелить наугад, в темноту, я ранил его, но ему удалось скрыться.

Трофимов и Ольга Николаевна переглянулись.

— У Павла Вениаминовича ранена рука, не так ли, доктор? — Следователь смотрел Трофимову прямо в глаза. — Но ранен он не тяжело, иначе не смог бы так быстро убежать. Вы удачно прибыли, прямо с корабля на бал, вас сразу призвали помочь. А ведь иначе пришлось бы искать среди ночи врача, да еще объяснять, откуда пулевое ранение. К тому же доктор и в полицию может донести на своего пациента! Я правильно излагаю, Ольга Николаевна?

Оля, к которой обратился следователь, побледнела и не нашлась что ответить. Только устало кивнула.

— Мама Оля, не говори ничего! — И в комнату, держась за мебель и стены, вошел Павел.

Правая рука молодого человека была забинтована и подвязана. Извеков хмурился, его плотно сжатые губы свидетельствовали о том, что он явно превозмогает боль и усталость.

Сердюков окинул его цепким взглядом и остался доволен. Слава богу, он действительно только ранил мальчишку.

— Сударь, мне очень жаль, что вы пострадали. Но, смею заметить, вы сами виноваты! Ваш удар чуть было не размозжил голову моему помощнику господину Сухневичу.

Павел не удостоил полицейского ответом, покачнулся и быстро опустился на диван.

— Вы напрасно встали, Павел! — мягко укорил Трофимов. — Вы потеряли много крови, вам надо лежать.

— Я услышал голоса и поспешил сюда, — ответил раненый.

— И правильно сделали, — с воодушевлением воскликнул Сердюков. — Теперь, когда присутствуют все участники событий, мы можем спокойно обсудить происшествие.

— Но с чего вы взяли, что именно мы были там? — продолжала неловко запираться Ольга.

Следователь слегка пожал плечами, мол, разве это не очевидно?

— Сударыня, чтобы окончательно прояснить картину, придется нам с вами говорить о некой тайне, заключенной в похищенных бумагах. Как я полагаю, все действующие лица о ней осведомлены, иначе бы не принимали участия в их похищении. Единственно сомневаюсь насчет Веры Вениаминовны. Не прикажете ли позвать вашу падчерицу?

Ольга Николаевна с силой дернула шнурок звонка. Вбежала как угорелая горничная, ее послали за девушкой. Следователь приготовился ждать долго, но, к его удивлению, Вера явилась тотчас же.

Она была бледна, измучена и явно не ложилась спать.

— Ты спала, Веруша? — осторожно спросила мачеха, пытаясь дать девушке понять, что происходит, и навести ее на правильный ответ.

— Нет, — протянула падчерица, тревожно оглядывая присутствующих. — У меня голова разболелась, — добавили она, заметив следователя.

Вера прошла через всю комнату и села рядом с братом, нежно погладив его по здоровому плечу. Стало быть, знает, что произошло, отметил про себя полицейский.

— Итак, господа, я начну, а вы меня поправите, если я ошибусь.

И Сердюков приступил к изложению своих мыслей.

— Сударыня, — обратился он к Извековой, — вы, конечно, помните тот день, когда с вашего дозволения я перебирал бумаги покойного писателя. Честно говоря, я не знал, что искать, но интуиция подсказывала мне, что тут надо поработать. Вы справедливо заметили, что я не являюсь знатоком литературы, но некоторые вещи понятны даже такому далекому от писательского труда человеку, как полицейский следователь. Так, например, я обнаружил один и тот же текст, но написанный разной рукой. И потом, при ближайшем рассмотрении, он оказался такой же, да не такой! Я поясню свою мысль. Вот мы имеем некое изображение, блеклое, непривлекательное. Но по нему прошлись умелой рукой, и оно заблистало новыми красками. Так и тут, текст был выправлен другим человеком.

Мною были найдены еще несколько листочков, написанных той же рукой, где содержалась фабула одного, уже изданного и популярного романа вашего мужа. Кстати, именно тот листок упал к вашим ногам, а потом исчез. Вот тогда у меня и закралось сомнение в подлинном авторстве всех произведений господина Извекова. Справедливо задаться вопросом, кто был тот человек, который сочинял наиболее яркие сюжеты и легкой талантливой рукой правил неуклюжий текст? Выяснить это не составило труда. Стоило только посмотреть на почерк всех членов семьи. И ответ возник сразу, так как первыми бумагами, которые мне попались, оказались домашние расходы, записанные Тамарой Георгиевной Горской. Итак, господа, я прихожу к выводу о том, что истинным автором шедевров был не Извеков, а его первая жена!

Сердюков сделал паузу. Присутствующие молчали. Вера, бледная и сосредоточенная, нервно теребила край шали, Павел угрюмо смотрел куда-то в стену, мимо следователя. Вдова поджимала губы и, кажется, боролась с подступившими слезами.

— Когда упавший листок исчез, я окончательно убедился в том, что вы, Ольга Николаевна, знали об этом. Знали и хотели скрыть. Вероятно, кроме вас, знал еще и Павел, так как выразил желание помогать вам. Вы решили, что необходимо, пока не поздно, изъять опасные бумаги, изобличающие Вениамина Александровича, и с дачи, если они там есть. Вы тайком отправились вслед за нами с Сухневичем, дождались, пока я обнаружу нужные рукописи, и забрали их. То, что похититель бумаг хорошо знает дом и спокойно ориентируется в ночном саду, наводило на мысль, что это кто-то из членов семьи. Вы убегали быстро и ловко, но Сухневичу удалось вас схватить, и вы невольно вскрикнули, чем себя и выдали. Но кто сообщник? Сначала я даже грешил на господина Трофимова. Но потом решил, что вы вряд ли захотите посвящать кого-либо в столь неприятную тайну. Однако вам пришлось сказать и господину доктору, так как раненому Павлу понадобилась срочная помощь, когда вы примчались назад. Тут-то вы и обнаружили визитную карточку Бориса Михайловича, напрасно прождавшего вас весь вечер накануне. Он явился весьма кстати. За ним послали, и он помог раненому Павлу. Но пришлось ввести его в курс дела. Я правильно излагаю последовательность событий, господа?

Трофимов кашлянул и вопросительно посмотрел на Ольгу.

— Да, господин Сердюков, к сожалению, все сказанное вами, правда! — тяжело вздохнула Ольга Николаевна.

— Нет! Это невыносимо! — простонала Вера и вскочила.

Правда, непонятно, к чему или к кому относились ее слова.

— Вера, сядь, ради бога! — строго сказала мачеха.

Девушка нехотя повиновалась.

— Да, вы правы, я действительно знала, — продолжила Извекова. — И узнала я это случайно, накануне смерти Кирилла, когда в первый раз оказалась в незапертом кабинете мужа, куда до того никому доступа не было. Там я и обнаружила бумаги, из которых поняла, что многое, вернее, самое лучшее, что издавалось под именем Извекова, написано фактически не им, а Горской. Он тоже писал, но все, к чему ни прикасалась его рука, оказывалось бледным и невыразительным. Поэтому ее смерть была и его, в некотором смысле слова, смертью. После нее осталось несколько набросков, идей, которые он вполне успешно реализовал, «Увядание розы», например. Зачем он хранил такие опасные, компрометирующие документы, спросите вы? Я думаю, что он пытался понять ее манеру, слог, ухватить суть ее литературной правки. И надо сказать, ему это в определенной степени удавалось. Но его честолюбие, его гордость протестовали. Вениамин Александрович мучительно переживал свою бесталанность и поэтому страшно пил. Именно потому так мало произведений стало выходить из-под его пера в последние годы — закончились идеи, наброски, оставленные Тамарой. А свое достойное не получалось. Когда я нашла эти листочки, я была потрясена, мне стало и жалко его, и стыдно за него. С другой стороны, ведь это совпало со скандалом, дуэлью и смертью Кирилла. Поэтому я посмотрела на свою находку другими глазами. Увы, я решилась похитить часть бумаг, наиболее старых по времени, чтобы не сразу обнаружилась пропажа, и использовать их в борьбе за развод.

Ольга Николаевна покраснела от своих признаний. Вера смотрела на нее с ненавистью.

— Муж не обнаружил пропажи, не до того ему

было, и я увезла бумаги в Лондон. А потом, вернувшись за разводом, предъявила их ему. Вениамину ничего не оставалось, как согласиться на мои требования, он боялся огласки.

— Ты подло шантажировала отца! И ты бы посмела рассказать об этом? — не вытерпела Вера. — Ты?!

— Честно говоря, не знаю, — тихо ответила Оля. — Не знаю, как бы я поступила, если бы он отказался дать мне развод. Но Вениамин был таким напуганным, что согласился на все и сразу. И что мне оставалось делать? Что я получила взамен своей преданной любви, взамен моей умершей дочери, потерянного счастья? Взамен исчезнувшего кумира, божества, на которое я молилась? Измену, предательство, унижения! Нет, Вера, мне не стыдно своего низкого поступка, Вениамин заслужил его! — Ольга Николаевна почти кричала, на лбу выступил пот.

Трофимов, слушая эти ужасные разоблачения, переминался с ноги на ногу. В отличие от полицейского, привыкшего копаться в чужих жизнях, ему было неловко.

— Это и был тот разговор, накануне его смерти? — поинтересовался Сердюков.

— Да, после очень эмоциональной беседы мы расстались. Я ушла к себе, а он остался в кабинете и, полагаю, сильно выпил от расстройства, как всегда.

— Но почему теперь вы стремитесь во что бы то ни стало сохранить тайну?

— Помилуйте, — вдова удивленно вскинулась. — А как же иначе! Ведь его имя, его наследие, все его творчество отныне под вопросом! Да и материальная сторона важна, ведь мы его наследники! Я понимаю, как отвратительно все это выглядит со стороны, но что делать? К тому же поймите, как я могу смириться с мыслью, что почти десять лучших лет моей жизни, моя безумная любовь, всепоглощающая страсть, мои жертвы, все во имя кого? Великого и популярного писателя, властителя дум, кумира или жалкого пьяницы, ничтожного неудачника?

— Но ведь вы сейчас пытаетесь сотворить миф, создать образ не существовавшей личности!

— Пусть так, я делаю это во имя его детей, которые будут жить с его именем и на доходы от его посмертных изданий! Пусть мы создадим миф! Кто от этого пострадает, кому нужна неприглядная правда, зачем она, столь унизительная для нас, живых!

Оля закрыла заплаканное лицо руками.

— Я не отдам вам бумаг! Но ведь вы все равно разнесете новость по всему городу? — Извекова достала батистовый платочек и утерлась им.

— К сожалению, даже сочувствуя вашему самолюбию, я не могу не отразить в рапорте все, что связано с поиском и похищением бумаг. Впрочем, вы напрасно переживаете, насколько я могу судить, эта новость только подогреет интерес к творчеству вашего мужа. Представляю, какие жаркие споры возникнут на сей счет! Какие страстные баталии начнутся среди поклонников! Одним словом, я думаю, вы только выиграете на шумихе вокруг спора об авторстве, тем более что без подлинных бумаг все это скоро затихнет.

— Как вы циничны! — последовал раздраженный ответ.

— Но я не понимаю, зачем Тамара Георгиевна делала это? Почему она сама не печаталась, почему никто не знал о ее авторстве? И почему Вениамин Александрович не обнародовал истину, не взял ее в соавторы? — продолжал недоумевать Сердюков.

— Она делала это для него, потому что слишком любила и жалела его гордость. Видимо, она хотела просто помочь ему, когда он только начинал, и неплохо начинал. Неплохо, но не так ярко, чтобы стать заметным. Вот она и придала ему яркости и блеску. А потом уже некуда было отступать. Да, она очень его любила, безумно, впрочем, как и я! — Оля покачала головой. — Теперь в это даже трудно поверить мне самой!

— Так любила, что довела отца до могилы! — зло вскрикнула Вера.

— Да, Вера Вениаминовна, любовь иногда претерпевает странные метаморфозы! — загадочно произнес Сердюков.

— Господа, господа! — вмешался Трофимов, видя, что у обеих женщин сейчас наступит истерика. — Теперь, когда все прояснилось, я полагаю, нам надо разойтись. Среди нас есть раненый, он нуждается в покое. Да и дамам тоже лучше прилечь и отдохнуть. Я же, с вашего позволения, господин следователь, поехал бы на дачу, ведь там, как вы говорите, еще один раненый?

— Вы абсолютно правы, уважаемый доктор! Мы скоро разойдемся. Осталось прояснить еще одно небольшое обстоятельство.

— Какое обстоятельство? — изумился Борис, который уже даже направился к двери и остановился на полпути.

— Привидение! В момент смерти Извекова посетил призрак его покойной жены.

— Но это понятно, господин следователь! Вениамин Александрович находился, вероятно, в состоянии белой горячки, вот ему и привиделось черт знает что! — усмехнулся доктор.

— Но ведь Вера Вениаминовна не пребывала в подобном состоянии, когда видела привидение покойной матери, да и не раз? Не так ли, сударыня? — следователь устремил взор на девушку. — Я думаю, что настала пора выяснить и этот вопрос.

Вера оставалась спокойной и, казалось, равнодушной. Она пожала плечами. Тогда Сердюков призвал горничную и потребовал, чтобы она принесла коробку, с которой он явился в дом Извековых и которую оставил в передней. Горничная, полная презрения и к полицейскому, и к его поручению, принесла большую коробку и поставила ее посреди комнаты. По всему было видно, что ноша легкая. Присутствующие разглядывали обычную серую картонку, в то время как Сердюков заявил:

— Вот тут, как я надеюсь, и находится наше привидение!

Глава 39

— Доктор, — обратился Сердюков к Трофимову, — вы долго жили в Англии. Как, на ваш взгляд, много ли там привидений, действительно ли, как утверждает большой специалист по потусторонним явлениям господин Сухневич, эта страна прямо-таки населена призраками?

— Не знаю, подобные материи меня, как врача и практика, не интересуют, — равнодушно ответил Борис.

— А что бы вы подумали, если бы узнали, что дачу писателя Извекова постоянно посещает призрак его покойной жены?

— Я, как врач, отнес бы это в разряд психических галлюцинаций.

— А если призрака видело несколько человек одновременно?

— Тогда бы я решил, что это чья-то неуместная шутка. Злой розыгрыш или попытка испугать.

— Испугать? Вы говорите, испугать? Сильно испугать! До смерти! Возможно ли такое?

— Вполне! Человек может умереть от страха, не выдерживает сердце.

— Особенно, если это сердце и без того нездорового, пьющего человека в летах. Вот видите, Борис Михайлович, мы с вами пришли одновременно к выводу о том, что явление призрака могло быть способом доведения Вениамина Александровича до смертельного сердечного удара.

— Но с какой целью, кто мог придумать подобное?

— Вот на сей вопрос мы тоже сейчас найдем ответ. Я долго ломал голову над тем, кто бы это мог быть? Признаюсь, господа, я даже прибег к помощи господина Сухневича, того самого, которого вы, Павел Вениаминович, нынче ночью чуть было не отправили своим ударом на тот свет. Так вот, Сухневич единственный в Петербурге специалист по привидениям и призракам. Он дал мне подробнейшую консультацию по данному предмету и вызвался помогать в расследовании загадочного феномена. Правда, теперь он лежит на диване на вашей даче, мадам Извекова, и тяжко страдает. Я много узнал о привидениях, и эти знания укрепили меня в одном. Наш призрак вполне материального происхождения, так как основные параметры появления призрачных существ, как то похолодание, неприятный запах, отсутствие тени и прочее, в данном случае не имели места быть. Об этих обстоятельствах не упоминали ни Вера Вениаминовна, ни Герасим. Кстати, Вера Вениаминовна, не припомните ли вы, в каком платье была ваша матушка в последнее в ее жизни Рождество?

— Разве это кстати? — изумилась девушка. — Впрочем, я помню. На ней было розовое бальное платье, пошитое, когда она только вышла замуж. Мама сильно похудела во время болезни и носила наряды своего девичества.

— А украшения на ней были?

— Конечно! Розовые гранаты.

— А Ольга Николаевна в чем была в прошлое Рождество?

— К чему эти нелепые вопросы? — рассердилась Извекова. — Даже я не помню, что на мне было надето!

— Сиреневое платье с черными лионскими шелковыми кружевами, — глухо произнесла Вера.

Лицо Оли вытянулось от удивления. Вера же напряглась всем телом, выражение ее глаз стало колючим. Она пыталась понять, куда клонит следователь.

— Вера Вениаминовна, когда мы первый раз говорили о вашей встрече с призраком, вы упомянули зеленое платье, шляпу и бриллианты. Верно?

— Наверно, так, — последовал неуверенный ответ.

— А в чем похоронили вашу матушку?

— Я не помню, — девушка опустила голову, избегая смотреть на собеседника.

— Как же так, сударыня, вы помните такие пустяки, как наряды на Рождество, и не помните, в чем погребли вашу мать? Мне кажется, вы пытаетесь уйти от ответа, ведь у вас прекрасная память! Впрочем, я вам напомню. Вот газета тех дней.

И Константин Митрофанович вынул из кармана сложенный листок «Санкт-Петербургских ведомостей». Газета подробнейшим образом описывала похороны любимейшей артистки. И роскошный с кистями гроб, и многолюдную процессию, и горы венков из свежих цветов. Убитые горем родственники. Обезумевший вдовец — известный романист Извеков. Старуха-мать, осиротевшие дети. В том числе и старшая девочка подросток Вера, долго и мучительно смотрит на мать в белом кружевном платье, прекрасную даже на смертном одре.

Сердюков отложил газету.

— Что скажете, Вера Вениаминовна? Вряд ли эта картина испарилась из вашего сознания, ведь такое не забывается!

— Жестоко с вашей стороны мучить меня ужасными картинами из прошлого! — простонала девушка.

— Простите, коли так! Но я не могу взять в толк, если вашу мать похоронили в белом платье, почему являлась она в зеленом? Это подтвердил и дворник Герасим, который тоже видел призрака. Как такое может быть, привидения разве меняют гардероб?

— Я не понимаю ничего! Изверг! Мучитель! — Вера замахала на следователя руками и хотела убежать.

— Постойте, сударыня! Давайте же закончим нашу беседу. Что, вы думаете, в этой коробке?

Сердюков наклонился и стал распутывать бечевку, которая связывала края коробки.

— Откуда мне знать! — сердито огрызнулась Вера.

— Узнаете? — Полицейский потянул из недр картонки длинное зеленое платье.

От шелкового великолепия шел упоительный аромат.

— Мама! — выдохнул Павел, и рот его скривился в горькой гримасе.

— Ольга Николаевна! Вы пользуетесь духами?

Как долго держится аромат на одежде? Может он так благоухать более десяти лет?

— О, нет! Даже самые хорошие парижские духи так долго не пахнут! А это платье, верно, надушено не очень давно!

— Вот и я так подумал. К тому же, когда я перебирал гардероб госпожи Горской, мне бросилось в глаза, что это платье висит как бы особняком, с краешку, оно не замято, как остальные вещи, и вроде даже поглажено. Одним словом, складывается впечатление, что его не так давно надевали. А вот шляпа, вероятно, та, что была на призраке. Почему? Другие шляпы в картонках проложены старыми пожелтевшими бумагами. А эта — нет, бумагу выбросили, она мешала или выпала случайно. Я нашел ее позже, под комодом. Итак, платье и шляпу недавно надевали. Что еще говорит о том, что комнату Тамары Георгиевны посещали? Например, едва заметная примятость на чехле кресла. Такая остается после того, как на нем недавно посидели. Затем ключ. Если предположить, что комната давно не отпиралась, то почему ключ идет легко, без скрипа и усилия, точно замок предусмотрительно смазывали? В то время как в соседних помещениях, где бывают хозяева постоянно, ключи скрипят и даже плохо поворачиваются!

Ответ напрашивается сам собой: тот, кто приходил, позаботился, чтобы проникать в комнату без звука, тихо, незаметно.

— Но кто же это? Не томите! — не вытерпел Трофимов.

— Да, да, я уже приближаюсь к концу своих

рассуждений. Используя служебное положение, я побывал во всех комнатах, да, да, уважаемые дамы, во всех. Пришлось мне осмотреть и ваши вещи, как бы неприятно и неприлично это вам ни казалось.

— Какая низость! — прошипела Вера. — Вероятно, это доставляет вам тайное наслаждение. Копаться в дамских вещах, белье и прочем!

— Да, именно прочее и оказалось довольно любопытным! — Сердюков не обратил внимания на злой выпад девушки и продолжал:

— В вашей, Вера Вениаминовна, девичьей светелке, как и подобает, находится туалетный столик, на нем масса коробочек, флакончиков с духами, помадами, румянами, разноцветным гримом. Грим, вероятно, еще остался от вашей матушки? Впрочем, неважно, такой товар можно легко купить. Его часто используют актеры, чтобы придать лицу особую яркость или, наоборот, смертельную бледность, навести черные круги под глазами для пущей выразительности. Вы много времени проводили рядом с матерью, внимательно наблюдая, как она гримируется к роли, иногда меняя лицо до неузнаваемости.

— Я не понимаю, к чему все это! — произнесла Вера.

— А к тому, что при внимательном рассмотрении я обнаружил, что цветной грим истрачен мало. Белый же вычерпан из коробочки почти до дна! А теперь вспомним, Ольга Николаевна, услышав крик мужа, его зов о помощи, выбежала из своей комнаты и обнаружила его мертвым. Она бросилась к падчерице и долго-долго стучала в дверь. Когда дверь отворилась, Ольгу Николаевну поразила ваша неестественная, смертельная, бросающаяся в глаза бледность. С чего бы это? Ведь вы сладко спали и не знали о несчастье? Вы, цветущая девушка со здоровым цветом лица, и вдруг странная, неестественная бледность?

Оля, Павел и Борис уставились на Веру.

— Я же говорила, что испугалась! Ничего не понимала со сна!

— А я думаю, вы понимали, что вам надо быстро вернуться к себе, разоблачиться, спрятать шляпу и платье, а вот смыть грим вы не успели и открыли дверь, надеясь, что испуганная Ольга в суматохе не обратит внимания на данное обстоятельство!

— Но зачем это мне? Зачем? — Вера замахала на следователя руками, точно пытаясь отогнать нелепые обвинения.

— Это непростой вопрос. Я допускаю, что вы не предполагали столь скорого результата, хотя в глубине души и рассчитывали на него!

— То, что вы говорите, похоже на безумие! — не выдержал Павел. — Вы обвиняете сестру в убийстве отца, но ведь она любила и боготворила его! Может быть, больше, чем кто-либо из нас!

— Вы абсолютно правильно подметили, молодой человек! Состояние Веры Вениаминовны, вероятно, приблизилось к безумию. Она любила и ненавидела одновременно!

— Откуда вам знать! — прокричала Вера, ломая руки.

Она уже не могла более сидеть на месте, вскочила и заметалась по комнате. Трофимов поспешил к своему саквояжу и извлек оттуда успокоительные капли.

— Откуда мне знать? — Сердюков потер пальцем переносицу. Его длинный нос от усталости заострился и казался еще длинней. — Конечно же, мои наблюдения привели к этому печальному выводу. Ведь мы, полицейские, в ходе расследования опросили множество людей, живших в дачном поселке. От них я узнал о некоем господине Яблокове, с которым вас, Вера Вениаминовна, частенько видели в последнее время.

— Это мое дело и никого не касается! — Вера метнула на Сердюкова ненавидящий взгляд.

Каким отвратительным теперь казался ей этот высокий сутулый человек с маленькими внимательными бесцветными глазками, редкими волосами и длинным носом, который он сует куда не следует!

— Так вот, я навестил Антона Антоновича Яблокова в его петербургской квартире. Странная вещь получается. Совершенно жалкий человечишка, ничтожный бухгалтер, блеклая внешность, пустота внутри и при этом — огромное, непоколебимое самомнение! И этот тип уверял меня, что между вами произошел безумный, отнюдь не платонический, полной пылкой страсти роман. В результате чего господин Яблоков, как человек воспитанный в старых традициях, вынужден был просить вашей руки, Вера. Он получил отказ от Вениамина Александровича в достаточно грубой форме. И вот что удивляет, конечно, в жизни бывает всякое, любовь прихотлива, но представить себе, что вы, вы, Вера, девушка из такой семьи, с вашей внешностью, вашим воспитанием, вашими жизненными притязаниями — и вдруг жалкий бухгалтер! Это немыслимо! А если и возможно, то только в одной ситуации, схватить кого попало в любовники, в женихи, в мужья. И вырваться из дома, из-под отцовской опеки, освободиться от груза знаменитой фамилии.

— Бог мой, Вера? Неужели ты могла так поступить? — простонала Ольга, имея в виду роман с Яблоковым.

— Это жалкая интрига вас больше всего волнует? — вдруг съязвила Вера.

Она оправилась от страха, или, вернее, страх разоблачения и публичный срам сделали ее смелой, слова едкими, а улыбку злой.

— А как бы вы поступили в моем случае, когда жизнь превращается в непроходящий кошмарный сон? Ты просыпаешься и ждешь, что он кончился, а он все тянется! Да, я очень надеялась, что, когда вас, Ольга Николаевна, не будет в нашем доме, я воцарюсь в нем как королева. Я стану как мама! Недаром мне все твердили вокруг, что я делаюсь все больше и больше на нее похожа! Но мгновения моего торжества оказались ничтожны, скоротечны. Будни же заполнились тяжкими запоями отца, его невыносимым раздражением, при котором он ненавидел весь свет и выедал мне всю душу своими бессмысленными многочасовыми сентенциями. Он контролировал каждый мой шаг, каждый вздох, любую мысль или желание, полагая, что он лучше меня знает, как надо дышать, любить, жить. Он выбрал для меня роль благородной жертвы. Моя жизнь должна была быть брошена ему под ноги. Мне не полагался муж, и никакая иная любовь, кроме как любовь к нему. Я должна была с собачьей преданностью сносить все его капризы и причуды, дурное настроение, неудачи, которые сыпались на его голову. Я не видела злополучных бумаг, которые вы обнаружили, но я тоже давно подозревала, что с писательством дело неладное. А как мучительно ездить в издательство, изворачиваться, плести небылицы, придумывая отговорки невыполнения условий контракта! Но при этом я ни на секунду не забывала, что он мог быть и бывал иным. Таким чудным, что я прощала ему все! Да, Яблоков — это попытка к бегству, но она не удалась. Я не могла покинуть отца, как это сделала Ольга! И тогда я стала мечтать, сначала чуть-чуть, иногда, а потом уже постоянно, о том, чтобы он покинул меня!

— Вера! Опомнись! Замолчи! Ты оговариваешь себя! — Павел здоровой рукой попытался притянуть к себе сестру и положить конец кошмарному и постыдному монологу.

— Сударь! Попрошу вас не вмешиваться! — резким голосом приказал Сердюков. — Продолжайте, Вера Вениаминовна!

— Нет! — встряла в разговор Ольга. — Не смейте принуждать ее оговаривать себя! Вы же видите, она от расстройства помешалась! Она не могла желать смерти своего отца!

— Явно, может быть, и нет. Но в глубине души,

так же, кстати, как и вы в истории с рукописями, она рассчитывала на такой исход своего представления. Я имею в виду пресловутое явление призрака.

— На что вы намекаете? Я, что ли, по-вашему, тоже хотела убить мужа?

Ольга Николаевна обомлела и уставилась на следователя широко раскрытыми глазами.

— В прямую, нет. Но когда вы привезли страшные компрометирующие бумаги и предъявили их Извекову, вы вполне могли предположить, что его хватит удар, как человека весьма нездорового. Вот так, легко и просто, безо всякого мучительного и шумного развода вы становитесь вдовой! Ваши слова приблизили Вениамина Александровича к смерти. Он сильно выпил, вероятно, уже тогда он почувствовал себя нехорошо и вышел в коридор. И тут в горячечном алкогольном бреду он узрел призрак Горской. Извеков безумно испугался, молил привидение о пощаде, имея в виду прежние грехи, он не мог понять, галлюцинации это или жуткая явь. То и другое одинаково ужасно. Но он не успел это осмыслить, истомленное попойками сердце не вынесло. Пришла его смерть. А вы, милое шаловливое дитя, вы, Вера, — Сердюков ткнул длинным пальцем воздух в направлении девушки, — вероятно, не раз пробирались в комнату покойной матери, примеряли ее одежду, пытаясь стать такой же, как она, красивой, независимой, талантливой. Ее яркие образы стояли перед вашими глазами. Особенно те, что вы запомнили из кино. Роль, где Горская является призраком погибшей возлюбленной, одна из самых ее удачных. Очень запоминающийся образ. Он, вероятно, всегда был перед вашим сознанием, еще с детства. И вы невольно преобразились именно в такую Горскую. Так возник призрак. А потом вам захотелось предстать в новом облике перед зрителями. Вам наскучило общаться со своим отражением только в зеркале. Но как явиться? Испугать интереснее всего, тем более, как я знаю, подобные злые шутки в вашем доме уже случались.

При этих словах следователя Павел густо покраснел.

— Кого вы хотели напугать, быть может, снова мачеху, а может, и папашу? А вдруг да и до смерти? — Сердюков прищурил глаза, покрасневшие от недосыпания, и они и вовсе превратились в маленькие щелки, прикрытые белесыми ресницами.

— Немыслимо! — ахнула Оля. — Это ваши домыслы! Вера, скажи что-нибудь? Зачем ты рядилась в привидение?

— Об одном жалею, что и вы, дорогая мачеха, тоже не померли со страху! — Падчерица метнула в Ольгу ненавидящий взгляд.

Павел схватился за голову и тотчас же застонал, потревожив руку. Оля тяжело задышала и стала беспомощно оглядываться, ища помощи от ненависти и злобы, которая исходила от хрупкой девушки, стоящей напротив. Трофимов в волнении тряс флакончиком капель над стаканом с водой, ошибся в счете, чертыхнулся и часть пролил на ковер.

— Как, должно быть, мы будем мило смотреться вдвоем в арестантских одеждах? Я думаю, серый цвет пойдет нам обеим? — Вера засмеялась странным сухим смехом, глядя прямо в лицо мачехе блестящими от злого возбуждения глазами.

— Послушайте, господин следователь, я, конечно, мало что смыслю в законах, но мне кажется, что обстоятельства смерти господина Извекова все же можно расценить как совокупность случайностей, приведших к трагическому исходу, — взволнованно произнес Трофимов. — Вряд ли суду присяжных покажутся убедительными рассуждения о наличии злого умысла в действиях вдовы. Безусловно, Ольга поступила не очень красиво, прибегнув к шантажу, но ведь это не попытка убийства! А нелепая выходка Веры хоть и способствовала ускорению наступления смерти, но не явилась непосредственной ее причиной.

— Я понимаю ваше стремление, доктор, рассмотреть ее обстоятельства с другой стороны, ведь неприятно сознавать, что обожаемая вами женщина и ее благовоспитанная падчерица осмысленно довели своего мужа и отца до неминуемой смерти! Хотя вы сами только что признали, что подобное вполне возможно. Особенно, если для этого имеются весомые основания.

— Но ведь вы не сможете арестовать их прямо теперь и посадить в тюрьму! — с ужасом простонал Павел. — Нет такого закона, который бы карал, — он запнулся, — за неосознанное желание смерти ближнему.

— Вот это мы и будем разбирать, осознанное или неосознанное, — ответил Сердюков, бросив на обомлевшую Ольгу взгляд, в котором читалось даже нечто вроде сочувствия. — Вероятно, сейчас заключения под стражу не потребуется, но любезные дамы, пока следствие продолжается, будут находиться под надзором полиции и покидать Петербург им запрещено.

— Но мы так его любили! — едва слышно прошептала Оля и невольно перевела взор с падчерицы на большую фотографию, стоявшую на изящной ажурной этажерке, уставленной дорогими безделушками.

Снимок была сделан в день их свадьбы в фотографической мастерской Карла Буллы. В овальной темной деревянной раме, на изогнутой подставке, фотография представляла новобрачных в самый радостный день. Они стояли на пороге своего счастья. Извеков, умудренный опытом жизни и таинств любви. И она, Оля, юная, страстная, трепещущая, вся устремленная вперед, в неведомое. И как назло, именно теперь Ольге снова вспомнились их первые тайные свидания, полные жгучего неутоленного желания, когда они, снедаемые страстью, упивались поцелуями в закрытой карете или в темной аллее парка. Ольга даже прикрыла глаза, настолько явственно почудились ей эти сладостные поцелуи на ее губах, нежные трепетные прикосновения горячих рук. Полно, да было ли это?

Сухневич устало прикрыл глаза и стал ждать, когда тяжелая дремота овладеет его телом и сознанием. Но мучительная боль в голове не давала заснуть. Он надеялся, что помогут лекарства, которые дал приехавший с Сердюковым врач. Следователь и молодой доктор Трофимов прибыли на дачу Извековых, когда день уже доживал последние часы. Врач осмотрел раненого, дал ему лекарств и распорядился лежать со льдом на голове. Герасима послали в поселок нанять женщину для ухода за больным, получалось, что ближайшую неделю Сухневичу придется провести на этом диване. Нанятая в сиделки опрятная старушка в скором времени уже суетилась в комнате больного. Она подносила ему пить, помогла переменить одежду на уютный халат, заботливо прихваченный Сердюковым из города, поправляла подушки и одеяла. За окном совсем стемнело, пора было ложиться спать. Тем более что предшествующие сутки и Сердюков, и Трофимов провели на ногах. Следователь и врач откланялись и оставили раненого на попечение сиделки. Старушка покружила по комнате и устроилась в кресле в уголке. Сон понемногу овладел обоими. Сухневич заснул, но спал недолго, тревожно и проснулся от странного ощущения. Ему показалось, что в комнате как-то сильно похолодало, он невольно натянул одеяло до небритого подбородка и открыл глаза. Перед ним стояла женщина. Сначала он решил, что это его сиделка, но тотчас же понял, что ошибся. Старушка мирно спала в своем уголке. А женщину он узнал, вчера любовался ее портретами. Прекрасная, высокая, бледная, в белом струящемся платье, с распущенными волосами, она смотрела на него, как ему показалось, даже с изумлением. Точно ожидала найти тут другого человека.

«Ну, вот! — пронеслось в сознании. — Такой был сильный удар по голове, что начались видения».

С этой мыслью Сухневич снова закрыл глаза и даже улыбнулся, хотел было посмеяться над собой. Но в тот же миг его обожгла острая мысль, прошиб ледяной пот, и мертвящий ужас овладел всем существом. Он подскочил на постели. Призрак будто что-то шептал. Словно хотел сказать нечто, серые губы едва шевелились, но не доносилось ни звука. Фигура колыхнулась, как облако, бесшумно оторвалась от пола и стала тихо таять в ночной мгле. Через мгновение вышла луна, ее бледный свет скользнул из-за штор, и в его дрожащем свете видение окончательно исчезло.

Литературно-художественное издание

ИНТРИГИ, ТАЙНЫ И ЛЮБОВЬ

Орбенина Наталья

СУПРУГ ДЛЯ БОГИНИ

Ответственный редактор *О. Рубис*
Редактор *Т. Семенова*
Художественный редактор *С. Власов*
Технический редактор *О. Куликова*
Компьютерная верстка *Е. Кумшаева*
Корректор *Е. Холявченко*

ООО «Издательство «Эксмо»
127299, Москва, ул. Клары Цеткин, д. 18/5. Тел. 411-68-86, 956-39-21.
Home page: **www.eksmo.ru** E-mail: **info@eksmo.ru**

Подписано в печать 03.02.2011.
Формат 80x100 $^1/_{32}$. Гарнитура «Таймс».
Печать офсетная. Бум. офс. Усл. печ. л. 14,81.
Тираж 4000 экз. Заказ № 2405.

Отпечатано в ОАО «Тульская типография».
300600, г. Тула, пр. Ленина, 109.

ISBN 978-5-699-39684-9

9 785699 396849 >

Оптовая торговля книгами «Эксмо»:
ООО «ТД «Эксмо». 142700, Московская обл., Ленинский р-н, г. Видное,
Белокаменное ш., д. 1, многоканальный тел. 411-50-74.
E-mail: **reception@eksmo-sale.ru**

По вопросам приобретения книг «Эксмо» зарубежными оптовыми покупателями *обращаться в отдел зарубежных продаж ТД «Эксмо»*
E-mail: **international@eksmo-sale.ru**

International Sales: *International wholesale customers should contact Foreign Sales Department of Trading House «Eksmo» for their orders.*
international@eksmo-sale.ru

По вопросам заказа книг корпоративным клиентам,
в том числе в специальном оформлении,
обращаться по тел. 411-68-59, доб. 2115, 2117, 2118.
E-mail: **vipzakaz@eksmo.ru**

Оптовая торговля бумажно-беловыми
и канцелярскими товарами для школы и офиса «Канц-Эксмо»:
Компания «Канц-Эксмо»: 142702, Московская обл., Ленинский р-н, г. Видное-2,
Белокаменное ш., д. 1, а/я 5. Тел./факс +7 (495) 745-28-87 (многоканальный).
e-mail: **kanc@eksmo-sale.ru**, сайт: **www.kanc-eksmo.ru**

Полный ассортимент книг издательства «Эксмо» для оптовых покупателей:
В Санкт-Петербурге: ООО СЗКО, пр-т Обуховской Обороны, д. 84Е.
Тел. (812) 365-46-03/04.
В Нижнем Новгороде: ООО ТД «Эксмо НН», ул. Маршала Воронова, д. 3.
Тел. (8312) 72-36-70.
В Казани: Филиал ООО «РДЦ-Самара», ул. Фрезерная, д. 5.
Тел. (843) 570-40-45/46.
В Ростове-на-Дону: ООО «РДЦ-Ростов», пр. Стачки, 243А.
Тел. (863) 220-19-34.
В Самаре: ООО «РДЦ-Самара», пр-т Кирова, д. 75/1, литера «Е».
Тел. (846) 269-66-70.
В Екатеринбурге: ООО «РДЦ-Екатеринбург», ул. Прибалтийская, д. 24а.
Тел. +7 (343) 272-72-01/02/03/04/05/06/07/08.
В Новосибирске: ООО «РДЦ-Новосибирск», Комбинатский пер., д. 3.
Тел. +7 (383) 289-91-42. E-mail: **eksmo-nsk@yandex.ru**
В Киеве: ООО «РДЦ Эксмо-Украина», Московский пр-т, д. 9.
Тел./факс: (044) 495-79-80/81.
Во Львове: ТП ООО «Эксмо-Запад», ул. Бузкова, д. 2.
Тел./факс (032) 245-00-19.
В Симферополе: ООО «Эксмо-Крым», ул. Киевская, д. 153.
Тел./факс (0652) 22-90-03, 54-32-99.
В Казахстане: ТОО «РДЦ-Алматы», ул. Домбровского, д. 3а.
Тел./факс (727) 251-59-90/91. rdc-almaty@mail.ru

Полный ассортимент продукции издательства «Эксмо»
можно приобрести в магазинах «Новый книжный» и «Читай-город».
Телефон единой справочной: 8 (800) 444-8-444.
Звонок по России бесплатный.

В Санкт-Петербурге в сети магазинов «Буквоед»:
«Магазин на Невском», д. 13. Тел. (812) 310-22-44.

По вопросам размещения рекламы в книгах издательства «Эксмо» обращаться в рекламный отдел. Тел. 411-68-74.